Les Mésaventures de Grosspafine

2. Le Prince Malavenant

Catalogage avant publication de Bibliothèque et Archives nationales du Québec et Bibliothèque et Archives Canada

Bernard, Marie Christine, 1966-

Le prince Malavenant

(Caméléon)
(Les mésaventures de Grosspafine ; 2)

Pour les jeunes de 10 à 12 ans.

ISBN 978-2-89647-150-8

I. Titre. II. Collection : Bernard, Marie Christine, 1966- . Mésaventures de Grosspafine ; 2. III. Collection : Caméléon (Hurtubise HMH (Firme)).

PS8603.E732P74 2008 C843'.6 C2008-941163-3
PS9603.E732P74 2008

Les Éditions Hurtubise HMH bénéficient du soutien financier des institutions suivantes pour leurs activités d'édition :

- Conseil des Arts du Canada ;
- Gouvernement du Canada par l'entremise du Programme d'aide au développement de l'industrie de l'édition (PADIÉ) ;
- Société de développement des entreprises culturelles du Québec (SODEC) ;
- Gouvernement du Québec par l'entremise du programme de crédit d'impôt pour l'édition de livres.

Éditrice jeunesse : Nathalie Savaria
Conception graphique : Mance Lanctôt
Illustration : Anne Villeneuve
Mise en page : Martel en-tête

Éditions Hurtubise HMH ltée
Téléphone : (514) 523-1523 • Télécopieur : (514) 523-9969
www.hurtubisehmh.com

ISBN 978-2-89647-150-8

Distribution en France
Librairie du Québec/DNM
www.librairieduquebec.fr

Dépôt légal/3e trimestre 2008
Bibliothèque et Archives nationales du Québec
Bibliothèque et Archives du Canada

Imprimé au Canada

Marie Christine Bernard

Les Mésaventures de Grosspafine

2. Le Prince Malavenant

Marie Christine Bernard

L'univers unique de Marie Christine Bernard aurait pu être le fruit d'un croisement entre ceux de Lewis Caroll et de J. K. Rowling. Ses histoires, peuplées d'une ribambelle de personnages aussi rigolos qu'étonnants, sont racontées dans un langage qui n'appartient qu'à elle, rempli de mots inventés et d'expressions colorées. Dans ce conte pour petits galopins, les héros vivent des aventures pleines de rebondissements où règne une atmosphère d'espièglerie des plus rafraîchissantes, et où la magie ne se trouve pas que dans la marmite...

Après *La Confiture de rêve*, voici *Le Prince Malavenant,* deuxième titre de la série « Les Mésaventures de Grosspafine ».

À Élie et Matthias
Pour l'espoir

1

Un filleul bien malcommode

La fée Cerise était dans tous ses états. Il y avait de quoi : Malavenant avait disparu. Il s'était complètement volatilisé ! Elle avait cherché dans tous les coins du château, par ici, par là-bas, en haut, en bas, dans les armoires et sous les lits, à l'intérieur des coffres et en dessous du grand bahut. Elle avait même ouvert la sécheuse et le lave-vaisselle, au cas où Malavenant, qui en était bien capable, s'y serait caché. Mais rien. Personne. Pas le moindre bout de prince. Cerise, en se laissant tomber sur le sofa de la salle de jeux, eut bien du mal à retenir ses larmes.

— Ouille, ouille, ouille ! gémit-elle. Que va dire la reine Tousswitt si son petit garçon manque à l'appel quand elle rentrera ?

Elle serait furieuse, voilà ce qui se passerait. La reine Tousswitt ne supportait pas la moindre contrariété. Jamais, jamais. Et maintenant, son garçon avait disparu. Pour une contrariété, c'en était toute une. Cela la mettrait carrément hors d'elle. La pauvre Cerise n'osait même pas imaginer ce que sa tante lui ferait.

— Malavenant Tousswitt ! ! ! ! hurla-t-elle pour une cinquième fois. Sors de ta cachette ! Je te promets de te redonner ton apparence !

Un grand silence de pierre lui parvint en guise de réponse. Bigre de bigre ! C'était sa faute aussi, il n'avait qu'à ne pas se suspendre au lustre de la salle de bal. Pauvre fée Cerise… Depuis qu'elle avait été admise au cours de Fée-Marraine avertie, son détestable filleul lui en avait vraiment fait voir de toutes les couleurs.

Pourtant, elle avait été bien contente lorsque sa tante, la reine Tousswitt, lui avait offert de garder le petit garçon durant les fins de semaine d'été. D'abord, cela lui faisait de l'argent de poche. Mais surtout, cela lui permettait d'utiliser les connaissances qu'elle avait acquises durant sa formation de Fée-Marraine. Elle avait appris tant de choses intéressantes ! Elle avait hâte de les mettre en pratique.

Ainsi, au cours de la précédente année scolaire, tous les jeudis après l'école, les apprentis Fées-Marraines, garçons et filles, se rendaient dans la Clairière Dorée de la Forêt Profonde où les attendait maître Barbe-Douce, le professeur de marrainerie. Il leur fallait pour cela surmonter la peur des Créatures Étranges, car beaucoup d'entre elles peuplaient les recoins sombres de ces bois. Toutes sortes d'histoires circulaient à ce sujet. Bien entendu, depuis que le royaume de Passilouin avait retrouvé son équilibre et que les Vilaines Sorcières avaient été libérées de l'École des Bonnes Manières, on n'avait plus peur du loup-garou, puisqu'il s'agissait de maître Barbe-Douce en personne et qu'il était tellement gentil. Mais il y avait bien d'autres êtres qui hantaient ces lieux mystérieux. Les plus vieux parlaient d'ogres, de trolls, ou encore de lutins malicieux. Mais les histoires qui faisaient frémir de terreur même les plus courageux, c'étaient celles qui évoquaient le Grand Chaperon Rouge.

Avez-vous déjà entendu parler du Grand Chaperon Rouge ?

Non ?

Aaaaaah, les enfants, celui-là, pour une créature étrange, c'en était une ! Moi, je ne l'ai jamais vu, mais j'en ai entendu parler. Même qu'on me l'a décrit. D'abord, il paraît qu'il est trrrès grand et trrrès maigre, et qu'il a les doigts tellement longs qu'il peut se servir de son auriculaire pour se gratter le fond de l'estomac. On dit aussi que sa bouche trrrès large aux lèvres trrrès minces contient pas moins de cent quarante-deux dents bien pointues qui lui servent à broyer les roches qui constituent l'essentiel de sa nourriture. Mais j'ai ouï dire qu'il ne dédaigne pas les orteils d'enfants frits dans la graisse de madame : semble-t-il que c'est ce qui lui fait office de pop-corn. On raconte que ceux qui ont entendu son cri, la nuit, ne peuvent plus jamais dormir tranquilles tant sa plainte est lugubre et déchirante. Alors, si vous vous promenez dans la Forêt Profonde, que vous entendez comme un long sanglot qui vous glace jusqu'au bout de l'intestin grêle, si en plus vous croyez apercevoir le coin d'un capuchon rouge, n'attendez pas : fuyez ! Fuyez jusqu'à ce que vous ayez gagné la maison la plus proche ! Car, qui sait si, une fois qu'il vous aura attrapé, le Grand Chaperon Rouge ne vous coupera pas les orteils pour les faire frire dans la graisse de madame ?

Vous pouvez donc comprendre la peur qui étreignait les élèves de Barbe-Douce tandis qu'ils traversaient la Forêt Profonde pour se rendre à leur cours ! Mais, vous savez, cela faisait partie de leur apprentissage. Car, pour qu'on leur confère le titre de Fée-Marraine, ils devaient avoir surmonté leurs pires terreurs. C'est ainsi, et seulement ainsi, qu'il est possible de prendre la mesure de son propre courage. Et c'est trrrès important d'en avoir, du courage, lorsqu'on est une Fée-Marraine. Ah non ? Pas tant que ça ? Vous pensez qu'avec tous les pouvoirs qu'elles ont, les Fées-Marraines peuvent bien se passer d'une vertu comme celle-là ?

Oui, c'est vrai, les Fées-Marraines offrent des dons aux petits bébés comme la gentillesse, une jolie voix, un talent de cuistot ; en fait, elles distribuent des qualités qui rendent les gens plus agréables à fréquenter, elles permettent aux jeunes personnes d'aller au bal dans des citrouilles transformées en carrosse, elles aident les princes charmants à retrouver les princesses endormies, et tout le tralalilalère. Mais elles ne font pas que ce genre de choses, les Fées-Marraines ! Si ce n'était que cela, je vous l'accorde, le courage serait bien la moindre des aptitudes nécessaires à ce travail. Mais imaginez que le Dragon vous attrape et vous emporte dans son antre. Qui volera à votre secours, hein ? Oui, oui : votre Fée-Marraine. Si le capitaine d'un vaisseau fantôme vous fait prisonnier, qui bravera la mort sur des mers inconnues pour vous récupérer ? Encore elle (ou lui !) ! Éternellement, la Fée-Marraine doit veiller sur son filleul, en tout temps elle doit le protéger du danger, même si ce danger, c'est le Grand Chaperon Rouge en personne ! Alors c'est vous dire qu'il en faut, du courage !

Toujours est-il que la fée Cerise avait appris, comme ça, en l'affrontant, que la peur nous fait plus de mal que les êtres qui en sont la cause. À la fin de l'année, c'était devenu une routine pour elle de se rendre jusqu'à la Clairière Dorée, même les jours où le vent portait jusqu'à ses oreilles des sons qui ressemblaient fort à une plainte lugubre et déchirante. Cependant, certains élèves n'avaient pas réussi à surmonter leur peur. Ceux-là ne reçurent pas leur diplôme. Ils savaient faire de l'origami, fabriquer de la pâte à sel, coudre des vêtements somptueux d'un claquement de doigts, chanter des berceuses magiques, donner aux pets le parfum du lilas et même transformer les petits malcommodes en crapauds. Mais, s'ils ne savaient pas surmonter la peur, ils ne pouvaient pas obtenir le titre de Fée-Marraine. C'était très sérieux, n'est-ce pas?

Aussi était-ce avec une grande fierté que notre Fée-Marraine apprentie flambant neuve avait entrepris sa première fin de semaine auprès de son filleul, le prince Malavenant, fils de la reine Tousswitt, reine du royaume d'Aquautée, régente du pays de Parsiparla, intendante des lacs et rivières des Royaumes-Unis et gérante du restaurant Chez Marthe, sans compter tous les clubs et comités dont elle faisait partie. Cerise était la cousine du prince Malavenant et elle avait 130 ans, ce qui est l'équivalent, chez les Bonnes Fées, de 13 ans pour une jeune fille de notre monde. Malavenant, lui, avait eu huit ans au printemps. Cerise connaissait mal ce cousin qu'elle ne voyait pas souvent. Elle se souvenait qu'il avait les cheveux roux, les yeux bleus, le nez retroussé et beaucoup de taches de rousseur, mais c'était tout. Elle ne savait pas du tout quelle sorte de caractère il avait. Et malheureusement pour elle, elle l'apprit très vite.

Ce premier samedi, elle arriva avant le petit-déjeuner parce que la reine Touswitt avait à sept heures trente une réunion du Comité pour la sauvegarde du Polyester Sauvage au restaurant Chez Marthe. Ensuite, elle devait se rendre au Lac Vert-Espoir pour intervenir durant une manifestation contre les sous-marins à pétards dans les plans d'eau destinés à la villégiature. En après-midi, elle avait rendez-vous au centre de détente pour se faire masser les oreilles. Plus tard, on l'attendait en ville pour un cocktail en l'honneur du mille deux cent cinquantième anniversaire de l'ordre de la Grande Mitaine, au cours duquel elle remettrait le trophée du plus beau bonhomme de neige du royaume. Oui, bien sûr, on était en été, mais il fallait trois mois aux juges pour déterminer lequel des huit cents bonshommes fabriqués en février dans tous les Royaumes-Unis était le plus joli ! Enfin, bref, la reine Touswitt ne rentrerait que tard en fin de journée et, le lendemain, dimanche, elle souhaitait qu'on ne la dérangeât pas, car elle devrait faire ses comptes. C'était comme cela toutes les fins de semaine. Et la semaine, eh bien, elle travaillait, comme tout le monde. Elle dirigeait les affaires de son royaume et gérait celles du pays de Parsiparla. C'était quelqu'un de très occupé, la reine Tousswitt.

Et le prince Malavenant, son fils, était le petit garçon le plus malcommode de la terre. Ce matin-là, il avait commencé par vider toute la boîte de céréales au riz soufflé dans la cage du hamster. Résultat : le rongeur en avait tellement mangé que Cerise l'avait retrouvé gisant sur le dos, le ventre tout gonflé, à moitié mort dans la sciure qui lui servait de litière. Ensuite, il avait mis le feu au rideau de velours du petit salon de thé en plaçant une loupe devant la fenêtre pour concentrer les rayons du soleil. Après, il avait lancé le pauvre hamster dans la piscine pour voir s'il flottait mieux maintenant qu'il avait l'air d'un gros ballon. Cerise avait sauvé de justesse la petite bête de la noyade. Un peu plus tard, la Fée-Marraine, en entrant dans la salle de bains, avait découvert avec stupeur de magnifiques arabesques couvrant tous les murs... des arabesques en pâte dentifrice ! Plus la journée avançait, plus elle était en colère contre ce petit garnement qui n'en faisait toujours qu'à sa tête et qui prenait plaisir à multiplier les mauvais coups. Alors, quand elle l'avait découvert se balançant la tête en bas, les pieds accrochés au lustre de cristal qui était le joyau de la salle de bal, elle était sortie de ses gonds pour de bon.

— Espèce de vilain ! Descends immédiatement du plafond, ou alors je vais en parler à ta maman ! avait-elle menacé.

— Gnagnagnaaa ! avait répondu Malavenant, se balançant toujours. Ma maman, elle ne me dira rien, parce qu'elle ne me voit jamais ! Elle viendra me dire bonne nuit ce soir et elle glissera un sac de bonbons sous mon oreiller, comme d'habitude !

— Non, mon bonhomme, avait grondé Cerise. Je vais lui parler sérieusement, et elle va te disputer pour de vrai.

— Gnagnagnaaa ! avait répété le prince, sans cesser de se balancer. Elle ne te croira pas, ma maman, je vais lui dire que tu es méchante et elle va me croire, moi !

Et c'est là que tout s'était précipité. La fée Cerise avait crié cette mise en garde stupide :

— Malavenant, tu descends SUR-LE-CHAMP ou je te change en crapaud!

Et Malavenant, lui, s'était à nouveau moqué d'elle:

— Gnagnagnaaa! Tu n'oseras jamais! Si tu crois que tu me fais peur! Tu ne serais même pas capable de changer un œuf en poussin!

Il n'aurait pas dû ridiculiser sa cousine. La fée Cerise ne supportait absolument pas qu'on rie d'elle parce que, comme toutes les fées, elle était trrrès susceptible. Alors, c'est presque sans s'en rendre compte que, sous le coup de la colère, elle avait lancé d'une voix froide, en pointant son index gauche vers le petit garçon qui lui tirait la langue: «CRAPAUD!» À la seconde, il n'y avait plus eu de petit garçon dans le lustre, mais une espèce de boule verdâtre qui en était tombée pour rebondir sur le plancher, sautiller jusqu'à la bouche de chauffage et s'y engouffrer.

2

Une drôle de trouvaille

Pendant ce temps-là, à Passilouin, la vie continuait. Depuis que le roi Louis et la reine Flamboyante régnaient ensemble sur le royaume, les maisons s'étaient habillées de fleurs multicolores, des chansons joyeuses fusaient de toute part et l'on voyait régulièrement des Vilaines Sorcières aller bras dessus, bras dessous avec des Bonnes Fées. Tout le monde était différent et c'était bien comme ça parce qu'on savait, dans le fond, que tout le monde se ressemblait…

Ce matin-là, Mia était arrivée en coup de vent chez Léanne, avec son attirail : canne à pêche, hameçons, gréements, tout ce qu'il fallait pour attraper des poissons. La pêche, c'était l'activité préférée de Mia. Oh, bien sûr, elle avait frappé à la porte avant d'entrer, et elle avait pris le temps d'échanger quelques politesses avec le papa de son amie. Après tout, Mia, elle, connaissait les bonnes manières ! C'est donc d'une voix joyeuse qu'elle s'écria, en s'engouffrant dans la chambre de Léanne :

— Léanne, Léanne ! Vite, finis de t'habiller ! On va chercher Léo et on va pêcher le Doré Perdu !

— Mais... protesta Léanne en mettant ses petites lunettes roses, et papa qui faisait du pain doré pour le déjeuner !

— Hum ! dit Mia, qui faisait un effort pour ne pas s'impatienter. Dépêche-toi de déjeuner, alors. On ira chercher Léo après.

Quand elles arrivèrent dans la cuisine, le papa de Léanne finissait de mettre le couvert.

— Veux-tu du pain doré, ma belle Mia ? proposa-t-il gentiment.

Mia était très gourmande, surtout quand c'était pour déguster quelque chose de moelleux et sucré. Aussi, elle ne se fit pas prier pour accepter cette offre alléchante et s'installa à table avec sa grande copine. Le pain doré du papa de Léanne était renommé dans toute la contrée, vous savez. Ce qu'on m'en a dit, c'est qu'il était juste assez fondant, juste assez croquant, juste assez goûteux, juste assez léger, juste assez... enfin, vous comprenez, il était parfait ! En mordant dans sa première bouchée, Mia songea qu'un morceau de paradis devait goûter ex-ac-te-ment la même chose que le pain doré du papa de Léanne.

Une fois leurs petits bedons bien remplis, les deux fillettes empochèrent les pommes que leur tendait le gentil papa et se dirigèrent en vitesse vers la maison de Léo. Tout en courant, Léanne s'informait.

— Dis donc, c'est quoi, Mia, ton histoire de Doré Perdu ? s'enquit-elle d'une voix essoufflée.

— C'est Grosspafine qui m'en a parlé ! répondit Mia, tout aussi essoufflée.

— Et alors ? poursuivit Léanne.

— C'est... PFF ! le plus gros... PFF ! le plus rusé... PFF ! le plus vieux... PFF ! le plus imprenable de tous les dorés... PFF ! de tous les cours d'eau... PFF ! du royaume de Passilouin ! articula Mia en cherchant son souffle.

À ces mots, Léanne s'arrêta pile. Du coup, Mia aussi.

— Voyons, Mia, gronda-t-elle gentiment, tu vois bien que c'est une invention, ton histoire. Grosspafine t'a raconté ça pour te jouer un tour, tu sais comment elle est !

— Tu te trompes ! protesta Mia. Je la connais, Grosspafine. Ce n'est pas un tour ! C'est vrai ! Tu ne la croyais pas quand elle t'a promis de guérir ton zozotement, hein ! Eh bien, est-ce que tu zozotes encore ?

— Zuste… Juste des fois, quand je ne fais pas attention, admit Léanne. Mais elle m'a fait faire des exercices de diction, ce n'est pas pareil. Ton histoire de poisson, là…

— Ce n'est pas une histoire de poisson ! s'entêta Mia. Grosspafine m'a dit que le lendemain de la pleine lune, on le voit parfois dans le Ruisseau Bruissant qui traverse la Forêt Profonde. Puis, hier soir c'était la pleine lune, et…

— Quoi ! l'interrompit son amie. Tu ne vas pas nous entraîner là-bas ! Tu sais bien qu'il y a des Créatures Étranges qui rôdent ! Et on parle beaucoup du Grand Chaperon Rouge, ces temps-ci. Moi, je ne vais pas avec toi. C'est trop dangereux.

— Pffffff ! se moqua Mia, qui connaissait bien son amie. Tu as peur ! Tu as peur comme un bébé la la !

— Je ne suis pas un bébé la la !

— Oui, oui, bébé la la !

— Arrête !

— Je vais arrêter quand tu ne seras plus un bébé la la !

Léanne était au bord des larmes. Oui, je sais, c'était elle la plus raisonnable de tous les enfants, mais, justement, c'est lourd parfois d'être toujours sérieuse. Le gros défaut de Léanne, c'est qu'elle était susceptible. Oui, oui, comme la fée Cerise.

Tout à leur obstination, les deux copines ne s'étaient pas rendu compte qu'elles étaient parvenues devant la maison de Léo. Mia, la plus petite, avait fêté ses sept ans et demi la semaine précédente ; elle avait les cheveux noirs et les yeux en amande, et une jolie bouche en cœur que Léo trouvait bien de son goût... Léanne, quant à elle, avait déjà neuf ans, et ses charmantes lunettes roses lui donnaient l'air beaucoup plus sérieux qu'elle ne l'était en réalité. En fait, les deux fillettes aimaient faire des farces et, avec leur copain Léo, elles formaient un trio imbattable pour jouer des tours et inventer des aventures. Léo les attendait dans le jardin, un livre dans les mains, absorbé dans sa lecture comme à son habitude. Quand elle le vit, Léanne s'exclama :

— Léo ! Dis à Mia que je ne suis pas un bébé la la !

— Hmm ? fit le petit garçon, distrait, en posant un index sur sa page pour ne pas perdre le fil de l'histoire qu'il lisait.

— Dis-lui que je ne suis pas un bébé la la ! répéta Léanne.

— Elle ne veut pas venir à la pêche au Doré Perdu ! dit Mia.

— Le Doré Perdu ? s'intéressa Léo, qui adorait les aventures.

— Oui, le Doré Perdu. C'est Grosspafine qui m'en a parlé, répondit Mia, avant de lui résumer toute l'histoire.

— Wow ! fit Léo. Quelle histoire palpitante ! Il faut y aller. Imaginez, les filles, si on l'attrapait ! On serait des héros !

— Oh, non, rouspéta Léanne, un autre qui croit les blagues de Grosspafine. Bon, bon, on va aller le chercher, votre satané poisson. Mais s'il arrive quelque chose, vous ne pourrez pas dire que ze... que je ne vous aurai pas prévenus !

C'est ainsi que les trois amis se dirigèrent vers la Forêt Profonde, remplis de l'espoir de capturer le légendaire Doré Perdu. Vous savez, Léanne exagérait peut-être un peu avec ses mises en garde, puisque l'endroit avait repris des allures beaucoup plus invitantes depuis que Dame Flamboyante était revenue du côté de la fantaisie. La lumière fusait à nouveau à travers les feuillages et les branches des conifères, les oiseaux avaient recommencé à y faire entendre leurs trilles, les lièvres et les écureuils y avaient réélu domicile, et le reste, et le reste. Mais, tout de même, comme je vous le disais plus tôt, il circulait de drôles de rumeurs à propos des Créatures Étranges qui peuplaient toujours ces bois si denses que personne n'était jamais parvenu à les explorer tout à fait. Aussi, c'est avec une certaine appréhension qu'ils pénétrèrent sous l'ombre des grands arbres.

Ils marchaient à pas de loup, guettant le moindre craquement suspect, le moindre couinement étrange, le moindre souffle bizarre. Même Mia finit par s'avouer qu'elle avait un petit peu peur. Léanne conservait un air buté, pour bien montrer qu'elle n'était pas du tout d'accord avec cette expédition. Léo, lui, ouvrait grand les yeux, assoiffé de sensations nouvelles, même si son petit cœur effrayé battait comme un tambour fou dans sa poitrine. Lui aussi, il avait entendu parler du Grand Chaperon Rouge, de ses dents pointues, de ses goûts alimentaires... Heureusement, le Ruisseau Bruissant ne passait pas bien loin de l'orée de la forêt, et bientôt la joyeuse chanson de ses eaux vives se fit entendre.

— On y est ! se réjouit Mia, soulagée quand même d'être à destination. Tu vois bien, Léanne, qu'il ne s'est rien passé.

— Oui, mais restons vigilants, rappela Léanne. On ne sait jamais !

— Chut ! fit Léo, les yeux ronds, en posant un doigt sur sa bouche. Je crois que j'ai entendu quelque chose, poursuivit-il à voix basse.

Léanne voulut s'exclamer qu'elle le leur avait bien dit, mais Léo lui intima, d'un geste, de se taire et d'écouter. Durant un moment qui leur sembla éternel, ils écoutèrent sans rien percevoir d'autre que les oiseaux, le ruisseau et le vent dans les frondaisons. Puis, quelque part non loin d'eux, à proximité du cours d'eau, ils entendirent... une voix ! Une toute petite, petite voix qui disait :

— Au secours ! Au secours ! Aidez-moi ! Je suis perdu !

Les enfants se regardèrent et, d'un seul élan, se précipitèrent vers l'endroit d'où provenait la toute petite, petite voix. Mais ils eurent beau chercher sous les feuillages, derrière les rochers, dans les branches, ils ne trouvèrent personne.

— Ici ! dit à nouveau la toute petite, petite voix. Ici, près de l'arbre creux ! Par terre !

Les enfants s'approchèrent de la vieille souche, se penchèrent et trouvèrent... un crapaud ! Un joli amphibien tout brun avec une rayure plus foncée de chaque côté, quelques charmantes verrues et des yeux verdâtres implorants.

— Ça alors, dit Léo, quelle aventure ! Un crapaud qui parle !

— Zam... Jamais je n'aurais cru qu'un jour je verrais ça ! dit Léanne.

— Qui es-tu ? demanda Mia.

— Je suis un prince ! clama l'animal de sa toute petite, petite voix. Une méchante fée m'a transformé en crapaud !

— Une méchante fée ? Mais pourquoi ? s'enquirent les enfants.

— Pour rien ! Juste par méchanceté, affirma la bestiole. Elle était jalouse de moi parce que je suis un prince et pas elle ! S'il vous plaît, s'il vous plaît, aidez-moi !

Les trois copains se consultèrent du regard. Une méchante fée ? C'était plutôt rare… Mais après ce qui s'était passé avec Dame Flamboyante et ses acolytes, on ne devait s'étonner de rien ! Nos aventuriers n'eurent pas besoin d'échanger un mot pour convenir qu'une seule personne en ce monde pouvait aider ce malheureux à retrouver sa forme humaine. Eh oui ! vous avez deviné : Grosspafine, la Vilaine Sorcière !

Depuis la fin de l'histoire avec les Bonnes Fées et leur école de Bonnes Manières, Grosspafine et les enfants de Passilouin avaient entretenu leur amitié. Belle d'Amour et Benjamin lui envoyaient régulièrement des lettres du Grand Collège de

Chevalerie, où ils faisaient leurs études pour devenir de vrais chevaliers du roi. Les autres jeunes courageux qui l'avaient aidée à redevenir une Vilaine Sorcière épanouie venaient la visiter de temps en temps, mais c'était surtout Léanne, Mia et Léo qui étaient demeurés proches d'elle. Au moins une fois par semaine, ils venaient prendre de ses nouvelles et boire un jus de chenille avec elle.

Il allait de soi, donc, que nos trois copains souhaitent obtenir les conseils de leur vieille amie ! Léanne installa délicatement au creux de ses mains la pauvre petite bête et ils reprirent le chemin du village, direction la maison de leur sorcière préférée.

3

Comment retransformer un crapaud en prince

Quand ils arrivèrent près de la petite maison, de l'autre côté du village, ils furent accueillis par Jaunisse qui les salua avec sa morgue habituelle depuis le bord de la fenêtre où il prenait le soleil, quand il y en avait.

— Chchch! cracha le vieux chat jaune, plus acariâtre que jamais. Encore ces enfants! On ne peut plus jamais dormir tranquille, ici, il faut toujours qu'ils viennent vous enquiquiner. Qu'est-ce que vous voulez, cette fois-ci?

— Bonjour, Jaunisse! répondirent les enfants. Nous sommes venus voir ta maîtresse.

Comme vous pouvez le constater, les enfants ne faisaient pas grand cas de la maussaderie du chat. Ils savaient bien qu'au fond c'était un grand tendre qui se donnait des airs de dur, alors qu'il n'était pas dangereux pour deux sous. Souvenez-vous que Jaunisse était tout à fait convaincu d'avoir pour ancêtre direct Shere Khân, le plus grand — et le plus effrayant ! — tigre des Indes. Il en tirait un orgueil, ma foi, démesuré.

— Ma maîtresse, feula le gros matou jaune, elle ne veut voir personne. Surtout pas des petits morveux comme vous trois. Et puis, qu'est-ce que tu as dans les mains, toi ? ajouta-t-il à l'intention de Léanne. Une souris ?

Il considérait les doigts de Léanne avec un regard si gourmand que la petite fille eut un geste de protection et ramena ses mains tout contre elle avant de répondre.

— C'est un crapaud, dit-elle. Et c'est défendu d'y toucher, compris ?

— Un crapaud ! cracha Jaunisse avec une moue dédaigneuse. Pouah ! Les crapauds, c'est juste bon à mettre dans les potions de Vilaine Sorcière ! De toute façon, j'ai à faire.

Et il sauta de l'appui de la fenêtre pour disparaître derrière une clôture, sans dire au revoir, ni rien. Il était comme ça, Jaunisse. Un vieux chat grincheux. Il fallait le prendre comme il était. Les enfants haussèrent les épaules et Mia s'avança pour frapper à la porte.

— Qui est là ? fit une voix grinçante.

— C'est nous ! répondirent les deux petites filles.

Léo, lui, était occupé à observer les mouvements compliqués d'une grosse araignée velue qui installait sa toile entre le mur de la maison et le tronc d'un petit cèdre.

— Qui, nous ? continua la voix grinçante.

— Mia ! Léanne ! crièrent les fillettes. Nous avons trouvé quelque chose !

— Quelqu'un ! rectifia la toute petite, petite voix dans les mains de Léanne.

— Euh, oui, nous avons trouvé quelqu'un qui a besoin d'aide, corrigea Léanne.

La porte s'ouvrit pour laisser place à une grosse vieille bonne femme au visage tout ridé, avec un long nez crochu et du poil dessus, un grand sourire édenté et deux petits yeux brillants qui riaient.

— Ah ! mes petits amis, s'écria-t-elle. Venez, entrez ! Je venais justement de faire du jus de chenille. Vous en voulez ?

— D'accord, merci, dit Léanne.

— Oui, merci Grosspafine, l'imita Mia.

Elles entrèrent toutes les deux et Mia se retourna.

— Léo, qu'est-ce que tu fais ? s'enquit-elle. Viens-t'en !

Le garçonnet laissa à regret l'araignée poursuivre son travail pour pénétrer à son tour dans la cuisine de la Vilaine Sorcière. Cette pièce n'avait guère changé depuis l'histoire de la confiture de rêves. Une table encombrée de vaisselle, un vieux poêle à bois, des armoires remplies de pots au contenu mystérieux, une grande marmite qui attendait dans un coin… bref, c'était la cuisine d'une Vilaine Sorcière ordinaire. Les enfants s'assirent autour de la table tandis que leur vieille amie leur versait de grands verres d'un liquide à la belle teinte vert tendre qui répandait un délicat arôme de feuille fraîche. Ils la remercièrent chaleureusement et elle s'assit avec eux.

— Alors ? demanda-t-elle. Qu'est-ce que vous m'avez apporté là ?

Léanne ouvrit ses mains et la bestiole sauta sur la table.

— Aaaaah ! Merci, Léanne ! s'exclama Grosspafine toute réjouie. Ma réserve de crapauds encore vivants était presque à sec ! C'est gentil d'avoir pensé à...

— Noooon ! cria Mia en rattrapant l'animal juste avant que Grosspafine le saisisse. Non, Grosspafine, ce n'est pas un crapaud comme les autres !

— Ah, non ? fit Grosspafine, un peu déçue.

— C'est un prince ! affirma Léanne.

— Une méchante fée l'a changé en crapaud ! poursuivit Mia.

— Par jalousie ! termina Léo en suivant du doigt une trace de limace qui parcourait toute la largeur de la table.

— Comme c'est dommage, soupira la Vilaine Sorcière. Vous êtes vraiment sûrs que...

— VRAIMENT SÛRS ! répliquèrent les petits protecteurs.

— Bon, bon, bon, ça va, bougonna Grosspafine. Racontez-moi comment vous l'avez trouvé, ce crapaud-pas-comme-les-autres.

— Nous étions partis pêcher le Doré Perdu, commença Mia.

— Le Doré Perdu? s'intéressa la Vilaine Sorcière.

— Oui, tu sais, c'est toi qui m'en as parlé l'autre jour. C'est le lendemain de la pleine lune aujourd'hui, dit Mia.

— Ah, oui, oui, le Doré Perdu. Vous l'avez attrapé?

— Non, mais nous avons trouvé celui-là, répondit Léanne en désignant le crapaud qui était retourné sur la table où il se tenait immobile derrière le sucrier, n'osant pas bouger.

— Pouah! grimaça soudainement Léo. Léanne! Qu'est-ce que tu as sur les mains? C'est... On dirait du... Yeurk!

La fillette ramena ses paumes vers elle pour les examiner.

— Ouache! sursauta-t-elle. Qu'est-ce que c'est? On dirait... Mais c'est du... Oh! Crapaud! Vilain crapaud! Tu m'as fait caca dans les mains!

Et Léanne, qui n'aimait pas du tout avoir les mains sales et qui, surtout, se sentait trahie par celui qu'elle avait voulu protéger, se mit à pleurer. Grosspafine l'empêcha juste à temps d'enfouir son visage dans ses mains et l'emmena à l'évier où elle pompa de l'eau pour l'aider à se laver. Cela prit un bon moment, car Léanne avait vraiment du caca plein les mains. Pendant ce temps, Léo avait attrapé une grosse mouche verte et Mia grondait la vilaine bête qui avait sali sa gentille amie.

— C'est très mal ce que tu as fait! disait-elle. Léanne te rendait service et voilà comment tu l'as remerciée! Tu aurais pu au moins attendre qu'on soit rendus et faire tes besoins à l'endroit prévu pour cela!

— C'est pas ma faute, ronchonna le batracien de sa toute petite, petite voix. Un crapaud, ça ne se retient pas. Quand ça sort, ça sort, c'est tout.

— Oui, mais une telle quantité de caca, c'est très étonnant, intervint Grosspafine qui connaissait bien ces sortes de bêtes. On pourrait presque dire que tu l'as fait exprès, ajouta-t-elle en fronçant les sourcils.

— Non, non, non, madame! protesta le crapaud de sa toute petite, petite voix. Je vous jure que c'est vraiment sorti tout seul!

— On verra ça, grommela la Vilaine Sorcière. Comme ça, il paraît que tu es un prince?

— Oui, couina le crapaud.

— Et une méchante fée t'a transformé?

— Oui.

— Comme ça, pour rien?

— Pour rien.

— Hum, hum... Je connais les fées, marmonna Grosspafine pour elle-même en se grattant le derrière. Jamais elles ne métamorphosent les gens sans raison. Cela demande trop d'énergie. Il faut vraiment des circonstances majeures pour qu'une Fée agisse de la sorte. Et d'où viens-tu? poursuivit-elle à voix haute.

— Je ne m'en souviens plus, répondit le crapaud. La méchante fée, elle m'a aussi fait perdre la mémoire! Même mon nom, je ne m'en rappelle plus!

— Ah oui! intervint Léanne en reniflant, tu as perdu la mémoire? Comment ça se fait, alors, que tu te rappelles être un prince?

La fillette aux lunettes roses en voulait un peu au petit animal de lui avoir joué ce mauvais tour.

— C'est, euh… bégaya le crapaud, c'est qu'elle a effacé seulement certaines parties de ma mémoire, vous comprenez, elle ne voulait pas que je retrouve ma maison ! Je me rappelle juste que je suis un prince. Un prince charmant, à part ça.

Grosspafine considéra un instant la petite bête tremblante qui se cachait encore derrière le sucrier. Elle réfléchissait. Enfin, elle rota, s'excusa, puis elle demanda :

— Bon. Qu'est-ce que je peux faire pour aider votre crapaud, les enfants ?

— Le rechanger en prince ! s'écrièrent les trois amis.

— Mais les Vilaines Sorcières ne connaissent rien aux métamorphoses, raisonna Grosspafine. C'est l'affaire des Bonnes Fées, ça. Moi, je connais les potions, ça s'arrête là.

— Tu n'as pas une recette de potion pour transformer les crapauds en princes ? insista Léanne.

— Non, non, je te dis ! répliqua la Vilaine Sorcière. Les gens de mon espèce ne peuvent changer la forme d'aucun être vivant. Seules les Bonnes Fées ont ce pouvoir. Et encore, elles l'utilisent très rarement, tellement c'est éprouvant.

— Alors, dit Mia, allons voir Dame Flamboyante au château !

— Ce serait inutile, répondit Grosspafine. Il n'y a que la fée qui a opéré la métamorphose qui peut défaire ce qu'elle a fait. Et comme ce petit bonhomme semble avoir perdu la mémoire, ce sera difficile de la retrouver ! L'autre solution, ce serait qu'une vraie princesse l'embrasse, mais... je n'en connais aucune !

— Oh, s'attrista Léanne. Mais il y a peut-être une potion qui lui rendrait ses souvenirs ?

— Peut-être... réfléchit Grosspafine. Il faudrait que je consulte l'Encyclopédie des Remèdes Maléfiques.

— Vite, vite, s'énerva Mia, sors-la ! Nous allons chercher le remède dedans !

— Elle est dans une caverne éloignée, dans la Forêt Profonde. Et c'est une encyclopédie... un peu spéciale. Cela pourrait prendre bien du temps, précisa la sorcière.

— Allons-y quand même, s'il te plaît ! supplièrent les enfants.

Grosspafine observait le batracien.

— Vous êtes certains que je ne pourrais pas le mettre dans le pot avec les autres? dit-elle. C'est toujours bon d'avoir une réserve de crapauds encore viv...

— Noooooon!

Rien à faire, alors. Ses jeunes amis voulaient absolument sauver cette bestiole. Grosspafine fut bien obligée de se ranger à leur avis.

— Bon, bon, d'accord, soupira la Vilaine Sorcière. Mais nous partirons demain. Et il est possible que nous devions rester dormir là-bas, alors il faudra demander la permission à vos parents et apporter vos sacs de couchage et de la nourriture.

— Ouiiiiiiii! s'enthousiasmèrent aussitôt Mia et Léo. Nous allons tout de suite trouver nos parents!

— Oh, non! protesta Léanne. C'est trop danz... dangereux! Il n'est pas question que nous allions là-bas! Le Grand Sap... Chaperon Rouge pourrait nous attraper et nous faire frire les orteils dans de la graisse de madame!

— Bébé la la! se moqua Mia.

— Mia, tu lui fais de la peine, dit gentiment Léo. Si tu ne veux pas venir, ajouta-t-il à l'intention de Léanne qui avait les larmes aux yeux derrière ses lunettes, tu n'es pas obligée.

— Moi, je veux qu'elle vienne ! coassa une toute petite, petite voix depuis la table.

Ils se tournèrent vers le crapaud — puisque c'était lui qui avait parlé — avec surprise.

— Oui, poursuivit le batracien. Je veux que ce soit elle qui me porte et personne d'autre.

— Ah, non, gronda Grosspafine. Toi, tu restes ici.

— Et pourquoi, madame la Vilaine Sorcière ? la défia le crapaud.

— Parce que tu nous encombreras, répondit Grosspafine. Et puis, j'ai peur que tu sois tannant.

— JE NE SUIS PAS UN TANNANT ! hurla le crapaud, mais cela ne fit qu'un bourdonnement plutôt comique qui n'impressionna personne.

— Hum, hum ! observa la sorcière. Tannant, il me semble bien que tu le sois déjà pas mal, mon garçon.

— AAAAAAAAAAAAAAH ! fit la petite bête en gonflant sa gorge de toutes ses forces. JE SUIS UN PRINCE !!! C'EST MOI QUI DÉCIDE ! TU N'AS PAS LE DROIT DE ME DONNER

DES ORDRES, ESPÈCE DE SORCIÈRE À LA NOIX!!!!

Et, sous les yeux ébahis des quatre amis, le crapaud ferma les doigts de ses petites pattes pour former des poings minuscules, se jeta à plat ventre sur la table et se mit à rouler sur lui-même en martelant et en criant de toutes ses forces :

— C'EST MOI QUI DÉCIDE, BON ! C'EST MOI QUI DÉCIDE, BON ! C'EST MOI QUI DÉCIDE, BON !

Les enfants et la sorcière échangèrent un regard consterné, reposèrent les yeux sur la petite furie qui gigotait en coassant sur la table, se regardèrent à nouveau... Finalement, Léanne haussa les épaules, alla chercher un linge à vaisselle, en recouvrit ses mains et y déposa le crapaud, qui se calma aussitôt. Personne n'eut besoin d'ajouter quoi que ce soit : il était clair que tous partiraient le lendemain matin pour la Forêt Profonde.

Chacun des enfants retourna chez soi et obtint facilement la permission d'accompagner Grosspafine. Les parents avaient en elle une confiance inébranlable. Ils savaient bien que leurs rejetons seraient en sûreté avec la Vilaine Sorcière autant qu'avec eux. Oui, d'accord, elle avait de drôles de manières, mais elle les aimait pour de vrai, ses amis. Et c'était tout de même elle qui avait ramené la fantaisie dans le royaume, non?

Quant à Jaunisse, il arbora une moue pleine de mépris avant de déclarer que toute cette histoire était complètement stupide et qu'il aurait mieux valu pour tout le monde que lui, Jaunisse, ait gobé ce ridicule bestiau dès le départ.

— En fait, miaula-t-il d'une voix maussade, si les crapauds n'avaient pas si mauvais goût, je l'aurais fait dès le début.

Puis il alla se rouler en boule sous le poêle.

4

Pauvre fée Cerise

Ah, elle était dans de beaux draps, la fée Cerise, et par sa propre faute en plus. Maître Barbe-Douce le leur avait pourtant répété inlassablement :

— Qu'est-ce qu'il ne faut jamais, jamais, jamais perdre, quelles que soient les circonstances ? interrogeait-il à la fin de chaque cours.

— Notre patience ! récitaient les apprentis Fées-Marraines averties.

— Pourquoi ?

— Parce qu'une Fée-Marraine qui perd patience fait inévitablement une gaffe ! continuaient les élèves de Barbe-Douce.

C'était exactement ce qui était arrivé à Cerise. Elle avait perdu patience et avait fait une gaffe. Une gaffe énorme. Terrible. Peut-être même irréparable. Aïe, aïe, aïe ! Comment faire, comment faire ? La reine Tousswitt allait arriver à la fin de l'après-midi et apprendrait que son fils avait disparu... La jeune apprentie secouait la tête avec découragement, fourrageant dans ses magnifiques cheveux d'un rouge profond comme elle le faisait toujours lorsqu'elle était embêtée. Cette chevelure qui était à l'origine de son prénom, elle en était très fière. Soyeuse et lustrée, elle faisait l'envie de bien d'autres jeunes fées. Cerise se donnait cent coups de brosse chaque matin et chaque soir... Mais ce n'était pas le moment de penser à ses cheveux, se raisonna-t-elle, il fallait réfléchir. Voyons... Quel était l'emploi du temps de la reine au retour du travail ? En général, elle se rendait dans son bureau, où elle soupait, et ne voyait Malavenant qu'à l'heure de lui dire bonne nuit. Il restait donc... Quelle heure était-il, à présent ? L'horloge à eau indiquait... Oh, non ! Il serait bientôt cinq heures ! Elle tournait en rond depuis le matin en se lamentant et n'avait pas vu passer le temps.

— Quelle bourrique tu fais, Cerise ! se gronda-t-elle. Barbe-Douce avait tellement raison ! Perdre son calme, ça empêche de réfléchir et d'agir correctement. Assieds-toi et pense à ton affaire comme il faut, maintenant.

Elle fit comme cela et s'assit sur le divan moelleux, les coudes sur les genoux et le menton dans les mains. Où pouvait bien être allé ce petit chenapan ? La bouche de chauffage aboutissait à la fournaise, dans la cave. C'est donc par là qu'il fallait commencer les recherches. Elle se leva d'un bond pour se rendre dans le sous-sol. « Heureusement, songea la fée, c'est l'été : la fournaise n'est pas allumée. Un prince changé en crapaud, c'est déjà un problème, mais un prince changé en crapaud rôti, là, ce serait un cataclysme ! » La reine Tousswitt ne se serait jamais remise d'une telle épreuve.

Il est vrai qu'elle ne passait que de rares moments à la maison avec son garçon, mais cela ne l'empêchait pas de l'aimer de tout son cœur, Cerise le savait. « Certains adultes ne savent pas très bien comment aimer leur enfant, se dit la jeune fée en posant le pied sur le sol de pierre de la cave du château. La reine Tousswitt pense peut-être que

plus on travaille fort, meilleure maman on est… »
Bien sûr, Cerise savait que beaucoup de papas et de mamans travaillaient très dur, et passaient de longues heures chaque semaine loin de leurs enfants. Mais dans la plupart des familles qui vivaient ces situations, on se retrouvait la fin de semaine et on faisait des choses ensemble, on mangeait, on parlait, on se racontait les peines et les joies, on se faisait des câlins.

Chez les Touswitt, rien de tout cela n'existait. Malavenant ne voyait pratiquement jamais sa maman. Son papa? Son papa avait été le plus grand chevalier du royaume, le chevalier Roger de Vertefeuille. On en parlait encore dans tout le pays, avec de l'émotion plein les yeux. C'était une histoire bien triste.

Peu de temps avant la naissance de Malavenant, le chevalier Roger était parti vers les Confins Éloignés, d'où il devait rapporter un mystérieux objet pour le Sage à face de Singe qui vivait sur la Montagne Mauve. Ou peut-être était-ce le Singe à face de Sage? Personne ne savait vraiment à qui l'on avait affaire lorsqu'on se rendait sur la Montagne

Mauve. Bref, le chevalier Roger s'en était allé un beau matin, envoyant un dernier salut de la main à sa jeune épouse qui caressait amoureusement son bedon rond, et n'avait jamais reparu au royaume d'Aquautée, ni nulle part ailleurs dans les environs.

Après la naissance du bébé, la reine Tousswitt prit en main les affaires du pays et se mit à travailler comme vous le savez. On racontait, dans les villages, que l'enfant ressemblait tellement à son père qu'elle ne pouvait le voir sans sombrer dans un insondable chagrin. On disait qu'elle n'avait même pas été en mesure de lui choisir un prénom et que c'était une femme de chambre qui, hochant tristement la tête en regardant le bébé tout seul à qui sa maman tournait obstinément le dos, aurait dit : « Ce prince-là, il ressemble trop à son père. Madame ne s'en console pas. Ce n'est pas un prince charmant, mais un prince malavenant ! » Le surnom était resté et, de surnom, puisque de véritable prénom il n'y avait pas, il était devenu pratiquement officiel. En tout cas, tout le monde l'appelait ainsi.

La fée Cerise réfléchissait à tout cela en farfouillant dans la cave en quête de son crapaud.

— Pauvre petit ! finit-elle par s'exclamer, en s'arrêtant net. Il peut bien être malcommode ! Il manque d'amour, cet enfant-là !

Et, plus résolue que jamais à retrouver ce petit garçon esseulé, elle continua de l'appeler de plus belle. Mais elle comprit assez tôt qu'il n'était pas dans la cave. Où pouvait-il bien être ? Un rayon de lumière attira soudainement son attention. Un soupirail ouvert ! Bien sûr ! Ces animaux-là sont heureux dans la forêt, près des lieux humides... Malavenant avait dû sortir par là pour rejoindre le Ruisseau Bruissant !

La jeune fée remonta les escaliers quatre à quatre, courut tous les kilomètres de couloirs du château, traversa les immenses jardins sans s'arrêter et, à bout de souffle, arriva aux abords de la Forêt Profonde. Après avoir repris sa respiration, elle mit ses mains en porte-voix et cria :

— Maaaalaaaavenaaaaaaaaaant ! Où es-tuuuuuuuuuuuu ? Réponds-moiiiiiiiiiiii !

Elle écouta. Pas de réponse. Elle recommença à appeler, puis à écouter. Elle refit de nombreuses fois le même manège. Rien. Il lui faudrait entrer dans la forêt. Toute seule. Avec le Grand Chaperon Rouge qui rôdait peut-être par là. Elle avait peur, terriblement peur. Mais il le fallait : elle était certaine que le prince avait pris la direction du Ruisseau Bruissant. « Allez, murmura-t-elle pour elle-même. Fais une vraie Fée-Marraine de toi, ma fille. Courage ! » Et, d'un pas décidé, elle pénétra dans l'ombre feuillue.

5

Le crapaud au bois dormant

Léanne avait l'impression de marcher depuis au moins dix ans. Mia chantait toutes les ritournelles qui lui passaient par la tête, même la vieille chanson officielle de Passilouin, qu'on n'était plus obligé d'entonner depuis que le roi Louis était de retour. Léo passait son temps à trébucher parce qu'il regardait partout, sauf où il mettait les pieds. Malavenant, dans les mains de Léanne, coassait sans arrêt, de sa toute petite, petite voix :

— On arrive dans combien de temps ? On arrive dans combien de temps ? On arrive dans combien de temps ? On arrive dans combien de temps ? On arrive dans c…

— ON ARRIVE QUAND ON ARRIVE, BON! s'écria Grosspafine, exaspérée. Et si tu répètes encore ça, on n'arrivera nulle part, on retournera d'où on vient et je te mettrai dans le pot avec les autres!

Les enfants ne prirent même pas la peine de défendre le crapaud, tellement ils en avaient assez, eux aussi, de supporter son inlassable litanie. C'était déjà difficile d'éviter les racines tordues, les branches crochues, les feuilles qui venaient vous chatouiller le nez, sans avoir besoin, en plus, d'endurer cette voix de maringouin qui répétait toujours la même chose. Les chansons de Mia, au moins, étaient remplies de joie, même si parfois on avait un peu envie de lui dire d'arrêter. Et puis, Mia, elle, si on le lui demandait poliment, il n'y avait pas de problème. Tandis qu'avec Malavenant, c'était tout le contraire: lui, si on lui proposait quoi que ce soit, même avec le plus beau «s'il vous plaît» du monde, c'était la crise. Depuis qu'on avait pénétré dans la Forêt Profonde, il en avait déjà piqué deux, chaque fois parce qu'on lui avait gentiment suggéré de cesser de poser toujours la même question. C'est pour cela que Grosspafine avait fini par intervenir, à bout de nerfs : elle en avait vraiment assez de ce prince pas charmant du tout.

— Mon espèce de chenapan, gronda-t-elle, comprends bien que c'est parce que j'aime ces enfants-là que je te rends service. Si c'était juste de moi, je te jure que tu passerais à la casserole !

— Grosspafine, glissa doucement Léanne, ne sois pas trop sévère. Mets-toi à sa place. Si tu étais une Vilaine Sorcière transformée en crapaud, tu aurais bien hâte de redevenir toi-même, non ?

— Mouais... marmonna la Vilaine Sorcière. Mais moi, je serais moins tannante, en tout cas.

— Lundi matin, le roi, la reine et le crapau-au-au-de... chanta Mia, sont venus chez moi, pour me pincer la peauauauau-e !

— Regardez, un geai bleu ! s'écria Léo. Qu'il est beau ! Il a une jolie huppe sur la t... OUF !

Eh ! Oui, ça devait arriver : Léo était tombé de tout son long, n'ayant pas vu une grosse branche sournoise qui l'attendait, bien tendue à la hauteur de ses tibias. Il se mit à pleurer en se tenant un genou. Il s'était fait mal. Léanne voulut poser le prince par terre pour secourir son ami, mais la petite bête se mit à crier :

— SI TU ME LÂCHES, JE VAIS FAIRE CACA SUR TES SOULIERS ! SI TU ME POSES, JE VAIS FAIRE CACA PARTOUT, ET SUR TES JOLIES CHAUSSETTES BLANCHES AUSSI !

Elle interrompit donc son geste charitable et, un peu embarrassée, elle dut laisser Mia et Grosspafine s'occuper du petit garçon qui s'était sérieusement éraflé et dont le genou saignait. La Vilaine Sorcière s'empressa de sortir de son grand Sac à Malices un petit pot d'Onguent à Bobos qui répandait une étrange odeur de poulet frit et, en grommelant, elle en frotta la blessure de Léo qui, déjà, ne pleurait plus et s'intéressait à la forme de la branche qui lui avait joué ce vilain tour. La sorcière essayait très fort de ne pas se mettre en colère. Mia et Léanne, qui la connaissaient bien, savaient que, si elle se fâchait, ce serait terrible. « Une chance, songeait Léanne, qu'elle se brosse les dents maintenant, parce qu'avec l'haleine qu'elle avait avant, il n'aurait pas fallu qu'elle se mette à crier ! Là, elle sent encore un peu, mais c'est beaucoup moins pire… »

Mais Grosspafine ne se mit pas à crier. Pas du tout. Même que, lorsqu'elle se pencha pour placer son vieux visage plissé en face de celui du crapaud qui tremblait dans les mains de Léanne, sa voix était parfaitement calme. Trop calme. En fait, cette voix, elle vous glaçait, tellement elle était calme. Comme un grand désert de neige où il faisait toujours nuit.

— Là, mon petit prince, je crois que tu as atteint les limites de la patience de Grosspafine. Et ça, ce n'est pas bon pour toi. Pas bon du tout. Je tiens à t'aviser que la prochaine fois que tu te montreras déplaisant sera la dernière. J'ai dans mon Sac à Malices une poudre qui, au moindre coâ-coâ qui sortira de ta grande bouche, te transformera aussitôt en Crapaud au bois dormant. Et dans ce cas, tu dormiras cent ans, à moins qu'une princesse t'embrasse, et je ne suis pas certaine qu'une princesse voudra bien donner un bisou à un sacripant comme toi. As-tu compris ?

— ...

— Pardon ? insista Grosspafine. Parle bien fort que je t'entende.

— Oui, madame, couina le prince, tout tremblant au creux des paumes de Léanne.

Les enfants n'osaient rien dire. Jamais ils n'avaient vu Grosspafine dans cet état. Ce calme, cette froideur, c'était bien plus effrayant que si elle avait crié en postillonnant, comme elle le faisait d'habitude quand elle se fâchait après Jaunisse. Satisfaite de l'effet produit sur le petit tannant, elle se redressa et fouilla à nouveau dans son grand sac, d'où elle extirpa une espèce de salière verte qui ressemblait à celle qui avait servi autrefois à capter les beaux rêves des enfants dans leur sommeil. Elle la brandit devant les yeux du crapaud, qui se recroquevilla encore plus, l'air effrayé. En reniflant dédaigneusement, elle se retourna pour continuer d'avancer, non sans garder à la main la salière verte. Et c'est ce moment que le petit batracien choisit pour marmonner :

— Non, mais, pour qui elle se prend, celle-là, pour parler sur ce ton à un prince ? Hein ! Attendez que je retrouve ma vraie forme, et on va voir ce qu'on va voir !

Grosspafine se lavait les oreilles maintenant, aussi entendit-elle parfaitement la toute petite, petite voix. En moins de temps qu'il n'en faut pour dire « pouet ! », elle fit volte-face, saupoudra un nuage vert fluorescent sur les mains de Léanne et pouf ! après avoir laissé échapper un minuscule « Atchoum ! », le crapaud se retrouva sur le dos, tout mou, sa longue langue complètement sortie de travers.

— Oh ! s'écria Léanne. Grosspafine ! Qu'est-ce que tu lui as fait ? Il ne va pas dormir pendant cent ans, dis ? On ne va pas le laisser ici ? Et moi, est-ce que je vais m'endormir ?

— Mais non, la rassura son amie en lui tapotant le bras. Il va dormir jusqu'à ce qu'une princesse l'embrasse, mais on ne le laissera pas ici. Avoue qu'il sera moins difficile à supporter endormi qu'éveillé ! Et il faut respirer la poudre pour qu'elle fasse effet. J'ai bien visé les narines, ne t'inquiète pas !

— Oui, convint la petite fille à contrecœur, tu as raison. Je commençais à avoir du mal à le tolérer, moi aussi.

— Fais dodo, Coâ mon p'tit fère... fredonna Mia, moqueuse.

— Avez-vous vu ? s'exclama Léo. Il a un nombril !

6

Napoléon

Sous le dense feuillage des arbres, il régnait un calme inconnu de la plupart des Personnes Ordinaires. Ce silence, cette absence du moindre souffle de vent paraissaient bien trop inquiétants à ceux et celles qui vivaient au quotidien dans l'agitation des lieux où se rassemblent les hommes. Quand on n'en a pas l'habitude, la vaste solitude des bois, percée de temps à autre par un cri ou un craquement, peut en effet paraître angoissante. Cependant, pour la fée Cerise, il était normal de marcher dans la Forêt Profonde. Elle savait bien qu'elle ne devait pas avoir peur. Elle n'avait pas peur. Enfin… presque pas peur.

Bon, bon, d'accord, elle avait peur. Mais vous auriez eu peur aussi, vous, si vous aviez dû progresser dans la pénombre d'un bois touffu, avec toutes ces racines qu'il fallait éviter et qu'on apercevait à peine, et toutes ces branches qui tentaient de vous agripper au passage, et ces bruits bizarres qui fusaient au moment où l'on ne s'y attendait plus. Oui, c'est vrai, Cerise avait fréquenté la Forêt Profonde durant tout son cours de Fée-Marraine avertie, mais c'était une chose de parcourir un même trajet un tas de fois avec toute une bande de copines, et c'en était une autre d'y déambuler toute seule avec pour unique guide le gargouillis lointain d'un ruisseau qui aurait pu se donner la peine d'être aussi bruissant que son nom l'indiquait.

Tout en progressant péniblement, maîtrisant à grand-peine des frissons de peur qui lui faisaient froid partout, la pauvre fée continuait d'appeler Malavenant.

— Viens-t'en ! chantonna-t-elle. Viens, Malavenant, je vais te faire du sucre à la crème avec des noisettes, comme tu aimes. Non ? Du sucre d'orge alors ? Des carrés au riz croustillant et à la guimauve ? Malavenant ! Réponds, s'il te plaît ! Ouch !

Elle avait buté contre un gros caillou.

— Hééé ! fit la roche d'une voix très, très lente. Regardez où vous mettez les pieds, vous, lààààà !

Stupéfaite, Cerise s'immobilisa.

— Vous m'avez parlé ? demanda-t-elle au caillou.

— Ouiiiiii, répondit-il, toujours aussi lentement. Vous avez failli m'écraseeeeer...

La jeune fée s'accroupit pour examiner ce curieux minéral qui savait parler et s'aperçut qu'en fait, il s'agissait tout bêtement d'une tortue.

— Pardon, madame la Tortue, dit-elle poliment. Je ne vous avais pas vue. Il fait bien sombre par ici.

— Môôôôôôsssieur, s'il vous plaît ! fit le reptile.

— Non, non, protesta Cerise. Je suis une fille, pas un monsieur. Je me présente : Cerise, Bonne Fée en apprentissage, pour vous servir.

— Mowââââ, je suis un môôôôôssieur, rétorqua la tortue. Je suis Naaaaapoléoooon la tortue.

Cerise comprit son erreur et s'excusa encore une fois. On oublie souvent que la plupart des créatures peuvent être aussi bien mâles que femelles ! On a tendance à croire que ce sont des garçons si le nom qui les désigne est masculin, et des filles si le nom est féminin. L'erreur est pardonnable, d'autant plus qu'on ne peut pas se mettre à vérifier à chaque fois qu'on rencontre une petite bête si c'est un garçon ou une fille ! En s'imaginant en train de procéder à la vérification systématique de chaque créature, Cerise pouffa de rire.

— Qu'y a-t-il de si drôôôôle ? s'offusqua Napoléon la tortue.

Cerise expliqua à Napoléon la raison de son rire et celui-ci s'en amusa aussi. Puis, reprenant son sérieux, ce qu'il fit au bout de plusieurs minutes, parce que les tortues rient aussi lentement qu'elles parlent, il demanda :

— Alooooors, mon enfant, où alliez-vous comme çaaaaa ?

— Je cherche le Ruisseau Bruissant, dit Cerise. J'ai perdu quelqu'un et je crois qu'il se trouve par là.

— Qui donc avez-vous perduuuuu ? s'informa Napoléon.

— Un crapaud.

— Un crapaud ! Pouaaaah ! rouspéta la tortue. Toute cette baaaave ! Je déteeeeeste les crapauds !

— Non-non-non, corrigea Cerise, ce n'est pas un crapaud comme les autres. C'est mon cousin. Et il n'est pas plein de bave.

— Aaaaaaah ? s'étonna Napoléon. J'ignorais que les Bonnes Fées avaient de la famille chez les batracieeeens !

— Attendez, je vais vous expliquer...

Et la jeune fée lui raconta toute l'affaire.

— Hum, hum, hum, fit longuement celui-ci après qu'elle lui eut conté son histoire, je vais vous guider jusqu'au Ruisseau Bruissant, ma joliiiiiie. En espérant que votre cousin y soit. Mais faisons viiiiiite, il n'est pas prudent pour les humains de se trouver dans cette forêt après la nuit tombéééée.

Cerise emboîta le pas à la tortue en se réjouissant de l'avoir rencontrée. Cependant, Napoléon était tellement lent qu'elle avait beaucoup de peine à rester derrière lui. Tous les deux pas, elle manquait de lui marcher à nouveau dessus. Et puis, c'est énervant, quand on est pressé, de devoir suivre quelqu'un d'aussi lent ! Au bout d'un moment, n'y tenant plus, Cerise saisit Napoléon en soupirant très fort :

— Écoutez, j'apprécie votre gentillesse, mais nous allons y passer la nuit, à ce rythme. Je vais vous porter.

— Posez-moi tout de suiiiiiite! cria Napoléon en tortillant ses courtes pattes de chaque côté de sa carapace. Je déteste qu'on me poooooorte!

— Calmez-vous, monsieur Napoléon, le pria Cerise. Vous l'avez dit vous-même, il faut que nous trouvions mon crapaud de cousin avant la nuit. Je vous reposerai dès que nous serons au Ruisseau Bruissant, c'est promis.

Napoléon fut bien obligé de se laisser faire. De mauvaise grâce, il accepta que Cerise le porte et il la guida patiemment sur le sentier quasi indétectable qui serpentait vers le cœur de la Forêt Profonde. C'est ainsi qu'ils parvinrent au bord du ruisseau, où, comme promis, la fée déposa son ami par terre.

— Ce n'était pas trop tôôôôôt, ronchonna celui-ci en replaçant sa carapace.

— Malavenaaaaant! appela Cerise. Malavenant, où es-tu? Réponds!

Mais elle avait beau crier, personne d'autre ne lui répondait que l'écho: «Réponds-ponds-ponds-ponds!» Après de nombreuses tentatives, la pauvre Cerise s'effondra par terre, le visage dans ses mains, complètement découragée. Qu'allait-il arriver maintenant? Elle se mit à pleurer très fort, avec de gros sanglots entrecoupés de: «Que va dire ma tante?» et de: «Pauvre Malavenant, il va avoir tellement peur tout seul!» et encore de: «Ma tante va faire une colère terrible quand elle apprendra ce que j'ai fait!»

— Mon enfaaaant, finit par intervenir la tortue. Il est un êêêêtre dans cette forêêêêêêt qui pourrait peut-être vous aider à retrouver votre cousin batracieeeeeeeen.

— Ah oui? renifla la fée. Qui donc?

— Le Sage à face de Siiiiiiinge, répondit Napoléon en hochant gravement la tête. Ou le Singe à face de Saaaaage. Peu importe, de toute façooooon, il nous rendra serviiiice, si nous lui demandoooons gentimeeeent.

— Et... C'est loin d'ici? demanda Cerise.

— Ooooooh, oui. Il vous faudra gravir la Montagne Mauauauauauve, qui se trouve exactement au centre de la Forêt Profooooooonde, expliqua la tortue.

— Mais je ne veux pas aller si loin! s'écria Cerise. Si ça se trouve, il est là, tout près, mon cousin!

— Mon enfaaaaaaant, déclara la tortue, je crains que vous n'ayez paaaaaaas le choix. Tout le mooooonde sait bien que lorsqu'on peeeeeerd quelqu'un par iciiiiiii, c'est pour toujouououououours. À moins que le Singe à face de Saaaaage (ou le Sage à face de Siiiiiiiinge) ne vous donne un coup de maiaiaiaiain.

— Donc, soupira Cerise, je n'ai pas le choix? Il va falloir que je trouve ce... Sage-Singe?

— Eeeeeh, ouiiiiiii, confirma Napoléon.

Il y eut un silence. La jeune fée et la tortue se considéraient avec un grand sérieux. Le moment était grave. Ce qu'ils allaient décider tous les deux allait déterminer beaucoup de choses. Entre autres, ils s'apprêtaient à s'engager, peut-être, dans une aventure qui allait les lier pour la vie, malgré toutes les mésententes pouvant découler de leurs différences. Ce n'était pas à prendre à la légère, cette histoire. Se rendre au cœur de la Forêt Profonde, c'était un vrai périple, digne des plus téméraires. Ce fut Napoléon qui brisa le silence. Sans quitter Cerise des yeux, il annonça:

— Si vous le vouleeeeeez, je suis prêêêêt à vous guideeeeer, mademoiseeeeeelle.

La jeune fée scruta le regard de la tortue. Oui, elle pouvait lui faire confiance. Enfin, elle croyait pouvoir lui faire confiance. Elle hocha donc affirmativement la tête avant de répondre :

— D'accord. Mais seulement si vous me laissez vous porter.

7

Dans la caverne

L'endroit était très humide. Et il y régnait une odeur de moisi telle que même le délicieux parfum du pain doré du papa de Léanne n'aurait pu la masquer. En tout cas, c'était ce que pensait Mia tandis qu'elle contemplait les murs sombres et luisants de la grotte où ils étaient enfin parvenus, après des heures et des heures de marche dans la forêt. Ils étaient tous fatigués, mais le voyage avait tout de même paru plus facile à partir du moment où Malavenant s'était endormi dans les mains de Léanne. Celle-ci avait d'ailleurs pu le coucher dans son sac à dos, en veillant à ce qu'il soit confortablement installé, avec une manche de chandail de laine en guise de couverture. Les mains libres, on avance mieux !

Lorsque les enfants avaient rouvert le sac à dos, ils avaient trouvé le petit batracien toujours assoupi, ronflant légèrement, les pattes croisées sur son ventre blanc et sa grande bouche étirée sur un étrange sourire.

— Comme il a l'air bien... chuchota Mia en avançant un doigt pour le caresser.

— Hiii ! siffla Léanne. Ne le touche pas ! S'il fallait qu'il se réveille !

— Vous avez vu son nombril ? répéta Léo.

— Voyons donc, répliqua Léanne. Petit Léo, tu sais bien que les crapauds pondent des œufs et que, comme tous les ovipares, ils n'ont pas de nombril. Seuls les mammifères en ont un.

— Mais lui, il en a un aussi, insista Léo.

Les trois petites têtes se penchèrent sur l'ouverture du sac à dos, et les filles durent bien se rendre à l'évidence : ce crapaud avait effectivement un nombril.

— Ce doit être parce que, au fond, il est un être humain, et non un vrai batracien, réfléchit Léanne.

— Alors, constata Mia, il dit la vérité, c'est un véritable prince charmant.

— Je n'en suis pas si sûre, fit Léanne avec une moue. Humain, oui. Mais prince… Tu as vu comme il est mal élevé ? Un véritable prince charmant n'agirait pas comme ça !

— Oui ! pouffa Mia. Il t'a fait caca dans les mains ! Hi ! Hi !

— Ça va, maugréa Léanne, on n'est pas obligé de se le rappeler, hein !

— Où elle est, Grosspafine ? demanda Léo d'une voix inquiète.

Comme il était le plus petit des trois, il avait besoin qu'on le rassure plus souvent. Les deux filles regardèrent tout autour. Il faisait tellement sombre dans cette grotte qu'on ne voyait pas bien loin. Pas de Grosspafine dans les environs immédiats. Les enfants tendirent l'oreille. À travers l'écho des gouttes d'eau qui tombaient du plafond et avaient formé les stalagmites et les stalactites décorant la caverne, ils perçurent au bout d'un petit moment un genre de marmonnement.

— Hmmm… Palaaaapalaaaapalaaaa… Hmmm, hmmm… Ici non pluuuuus… Hmmmm, hmmm… Aaaaah ? Noooon palaaa… Palaaaa…

C'était la Vilaine Sorcière qui, apparemment, cherchait dans son Encyclopédie des Remèdes Maléfiques. Les enfants échangèrent un regard entendu, Léanne remit son sac à dos et ils se dirigèrent vers le fond de la cavité, d'où provenait la voix de leur amie. À mi-chemin, ils durent s'arrêter, le sol étant secoué d'une espèce de tremblement accompagné d'un grondement sourd amplifié par l'écho.

— Qu... Qu'est-ce que c'était ? demanda Léo en se blottissant contre Mia.

Presque au même moment leur parvint une terrible odeur d'œufs pourris, puis la voix de Grosspafine qui rigolait :

— S'cusez mon pet, si ça s'répète, ça s'ra vot' fête ! Hi ! Hi ! Hi ! Hiiiii !

— Décidément, elle est incorrigible, sourit Léanne.

— Oui, et elle pue toujours autant ! poursuivit Mia en se bouchant le nez.

— Croyez-vous qu'on peut enfermer les pets dans des pots pour les sentir plus tard ? s'informa Léo.

Les enfants marchèrent encore quelques minutes, se rapprochant de plus en plus de la source de l'odeur épouvantable, et distinguant petit à petit une lueur vacillante. Un instant plus tard, ils parvinrent dans une sorte de pièce éclairée par un grand fanal que Grosspafine avait allumé. Elle tenait à la main un énorme volume relié et, à ses côtés, s'élevait une très haute pile de livres semblables à celui qu'elle consultait en ce moment. L'odeur de pet se dissipait tranquillement.

— Alors, Grosspafine? s'enquit Léanne. Tu trouves?

— Hmmm, on va trouver, on va trouver, marmonna la Vilaine Sorcière. Palaaapalapalaaaa... psalmodia-t-elle en tournant les pages craquantes à toute vitesse.

Elle déposa le volume et en prit un autre. Elle allait vraiment très vite. Les enfants savaient, parce que leur amie le leur avait expliqué, que les définitions contenues dans cette encyclopédie changeaient constamment de place, et qu'il fallait la consulter le plus rapidement possible. C'était compliqué. Pour trouver la recette de la confiture de rêves, leur avait-elle confié, elle avait mis deux jours et trois nuits!

Ses jeunes amis la regardaient en silence tourner les pages en accéléré, parlant toujours dans sa barbe (oui, oui, trois poils, on peut appeler cela une barbe !).

— Pala... Palapalaaaaa... Palaaaa.... Ah ! Voilà ! Écoutez, les enfants, j'ai trouvé ! Ça n'a pas été trop long, cette fois !

Elle se mit à lire.

— « Pour détransformer un prince charmant transformé en crapaud : À la lune pleine, cueillez des noisettes fraîches. Entre le coucher de la lune et le lever du soleil, écrasez-les d'un grand coup de marteau en bois. Mélangez la purée de noisettes avec une pincée de poudre de perlimpinpin et de l'herbe à chats séchée, mettez le tout dans une pipe et faites fumer le crapaud. Attention : s'il ne s'agit pas d'un véritable prince charmant, le crapaud explosera ; il est préférable de s'assurer de la prince-charmanterie du client avant de tenter cette méta-morphose. Pour obtenir cette certitude, il faut consulter le Sage à face de Singe. Lui seul peut identifier un vrai prince charmant sous les traits d'un crapaud. Bien sûr, on peut aussi le faire embrasser par une princesse, à moins qu'il ne soit déjà victime d'un sort de sommeil, auquel cas il ne sera plus jamais possible de le rendre à sa forme humaine, à moins que le Sage à face de Singe ne le désensommeille avec son remède secret. »

Un assez long silence suivit cette lecture. Tout le monde réfléchissait. Enfin, Léanne brisa la glace.

— Hmmm... Il va falloir aller voir ce... ce Sage à face de Singe, si j'ai bien compris, dit-elle en se frottant le menton. On ne peut pas prendre le risque de lui faire fumer cette pipe !

— Oui, ça m'a tout l'air qu'il va falloir nous rendre là-bas, bougonna Grosspafine. Vu son caractère, impossible d'avoir la certitude qu'il s'agit d'un vrai prince charmant.

— Puis en plus, poursuivit Léanne, tu l'as ensommeillé, alors, prince charmant ou pas, on va en avoir besoin, de ce Sage Singe !

— Pouah ! Qu'il doit être laid ! dit Mia.

— Pourquoi ? demanda Léo.

— Mais... Face de singe ! Ça ne te dit rien ? Ce que tu es nigaud ! Tu ne vois vraiment pas ce que je veux dire ? s'esclaffa Mia, qui fit une grimace en se décollant les oreilles des deux mains.

— Je ne suis pas dingo ! protesta Léo.

— Pas dingo ! Nigaud ! insista Mia.

— Meueueuh ! Grosspafine ! pleurnicha Léo. Mia dit que je suis… je sais pas quoi, mais en tout cas, c'est pas gentil !

— C'est assez ! gronda Grosspafine. Cessez vos chamailleries, ou alors je vous sale vous aussi !

— Oui, c'est vrai, ça suffit ! renchérit Léanne. On ne peut pas réflécir… Heu… réfléchir, avec tout votre bruit ! Qu'est-ce qu'on fait, maintenant, Grosspafine ?

— Ben… répondit la Vilaine Sorcière en se curant pensivement l'oreille gauche. Je crois bien qu'il va falloir aller voir le Sage à face de Singe. Mais pas avant demain. On va dormir ici.

Les enfants acquiescèrent. Il devait faire noir, maintenant, dehors. Il n'aurait pas été raisonnable de s'aventurer dans la Forêt Profonde une fois la noirceur venue. Le jour, c'était encore faisable, mais la nuit… Personne n'osait imaginer ce qu'on pouvait rencontrer, après le coucher du soleil, dans les coins obscurs de ces bois. Tous les quatre songeaient, entre autres, au Grand Chaperon Rouge, dont on disait des choses effroyables. Chassant de leur tête l'image terrifiante d'une bouche pleine de dents horriblement pointues, en train de croquer de tout petits orteils, ils déroulèrent leurs sacs de couchage. Puis, après avoir mangé quelques sandwichs au jambon, bu une bonne lampée d'eau et souhaité de beaux rêves à la ronde, ils s'installèrent pour dormir.

Ils étaient tellement fatigués qu'ils tombèrent presque immédiatement dans un lourd sommeil. Et ils dormaient si fort qu'ils n'entendirent pas, quelques heures plus tard, la longue plainte mélancolique qui déchira le silence, comme un pleur désespéré que le profond écho nocturne répéta durant de longues minutes.

8

L'art du camouflage

Une tortue, c'est plus lourd que ça en a l'air. Et puis, quand on marche depuis plusieurs heures avec une tortue dans les bras, même si elle n'est pas très grosse, eh bien, on est fatigué. Très fatigué. Cerise avait envie de pleurer. En plus, elle avait mal aux pieds. Elle n'avait pas prévu s'enfoncer si loin dans la Forêt Profonde, alors elle ne portait que ses sandales. Elle était certaine que, si elle s'arrêtait, elle ne pourrait plus repartir tellement elle était épuisée. Napoléon ne marchait pas, mais c'était pourtant lui qui rythmait l'allure, houspillant sans cesse la jeune fée.

— Plus vite, plus viiiiite ! Uuuuune, deeeeuuuux, uuuuune, deeeeuuuux ! scandait-il.

Cerise se sentait obligée de faire de très grands pas pour garder le rythme. Ils avançaient comme ça depuis des heures, quand elle s'arrêta pile.

— Qu'eeeeeeest-ce que vous faiaiaiaites ? demanda Napoléon en se tordant le cou pour lui montrer des yeux sévères.

— J'arrête ici, répondit Cerise. Je n'en peux plus. Il faut que je me repose.

— Booooon, fit la tortue. C'est ce qui arriiiiiive quand on veut aller trop viiiiite. Nououous, les tortuuuuues, on regarde en avaaaaant, et on avaaaaaance à petits paaaas. Et on n'arrête paaaaas toutes les cinq minuuuutes.

Mais qu'est-ce que c'était que cette manie de faire la morale ? Personne n'avait jamais dit à Cerise que les tortues étaient si à cheval sur les principes. C'était exaspérant, à la fin. Et puis, est-ce qu'elle en avait besoin tant que ça, de ce Napoléon-je-sais-tout ? Elle avait bien envie de le laisser là. Elle finirait la route toute seule, na. Elle saurait bien trouver Malavenant, avec ou sans aide.

Mais non. Elle n'arriverait à rien, toute seule. Elle avait besoin de quelqu'un qui connaissait bien la Forêt Profonde pour trouver le chemin jusqu'à la Montagne Mauve. Et puis, ce n'était pas gentil de planter les gens là, comme ça. Elle soupira, résignée à demeurer en compagnie de l'ennuyeux Napoléon. Elle s'apprêtait à lui expliquer que les Bonnes Fées se fatiguent plus vite que les tortues et qu'elles ont par conséquent besoin de se reposer plus fréquemment, lorsque, entre deux arbres, elle distingua dans la pénombre une tache de couleur singulièrement vive se découpant dans l'uniformité vert foncé de la forêt. Une tache rouge. Et qui bougeait.

— N…N…Napoléon? articula Cerise d'une voix étranglée. Est… Est-ce qu'il y a des bêtes rouges dans cette forêt?

— Maiaiaiais noooooon, répondit le reptile en secouant lentement sa petite tête. Rieeeeen qui se rapproooche du rouououge dans une forêt comme celle-ciiiiii, à part peut-être l'autooooomne, et encoooooore, il s'agit plutôôôt de choses oraaaangées, comme…

— CHUT ! l'interrompit Cerise.

Et comme il allait répliquer, elle lui ferma le bec en l'entourant fermement de ses doigts.

— Il y a quelque chose de rouge, de vraiment rouge, et cela s'approche de nous, ajouta-t-elle à voix basse.

Immobile, la fée espérait que la leçon de Camouflage en forêt donnée deux semaines plus tôt par maître Barbe-Douce porterait ses fruits. Il s'agissait de ne pas bouger, d'accorder sa respiration à celle de la forêt et de s'imaginer très fort qu'on était un arbre. Si cela fonctionnait, on vous prenait pour un arbre, et ce, même si l'on passait tout près de vous. Et si vous étiez très douée, on pouvait vous effleurer, voire carrément vous toucher sans se rendre compte de quoi que ce soit. C'était une technique que les Nymphes des Bois maîtrisaient très bien, mais qui donnait généralement aux Bonnes Fées pas mal de fil à retordre. Cerise se demandait si cela fonctionnait quand on avait une tortue dans les bras. Mais il était trop tard pour la déposer par terre. « Bah ! songea-t-elle, les tortues sont naturellement camouflées. Je l'ai bien prise pour un caillou, ce matin. » Et elle concentra toute sa pensée sur sa respiration, en imaginant très fort qu'elle était un arbre. Un bouleau, tiens. Un joli bouleau blanc, élancé, avec de gracieuses ramures pourpres tendues vers le ciel et tout plein de grains de beauté sur son écorce lisse. Elle *était* un bouleau, maintenant. Elle sentait la caresse du vent dans son feuillage souple, et la force de la terre qui montait en elle par ses racines profondes. Un petit oiseau se posait sur une de ses branches, un beau rouge-gorge qui, aussitôt, ouvrait grand son bec pour se mettre à chanter. Un joli, joli oiseau tout rouge, comme… Comme…

Mais qu'est-ce qu'il avait d'anormal, cet oiseau?

Hiiiii! Des dents! Il avait d'innombrables dents pointues, pointues, pointues! Et il ne gazouillait pas du tout, il ne pépiait pas, ni ne piaillait, il… il avait une bien trop grosse voix pour un rouge-gorge! Aaaaaaah!

Lorsque Cerise sortit abruptement de sa transe, ce fut pour se retrouver face à… pas face à face, mais bien face à torse avec quelqu'un de très grand et vêtu d'un manteau rouge vif trop petit pour lui. Elle devinait, plus bas, les bras interminables avec des mains aux grands doigts crochus, des doigts faits pour attraper les enfants fuyants, pour pincer leurs petits orteils. Très, très lentement, toutes les articulations engourdies par la terreur, elle leva les yeux vers le visage de la créature. Oh! Elle se doutait bien de l'identité du nouveau venu, avec toutes ces dents pointues, pointues, et ce manteau tellement rouge. Elle ne fut pas surprise de découvrir dans ce visage une grande bouche s'ouvrant sur une rangée de crocs bien affûtés, un nez long comme un pain baguette, de grands yeux doux...

De grands yeux doux?

Mais le Grand Chaperon Rouge ne pouvait pas avoir de grands yeux doux! Il était féroce, le Grand Chaperon Rouge, presque aussi féroce qu'un dragon! Toutes les histoires qui couraient à son sujet l'affirmaient. Alors, puisqu'il était si féroce, qu'est-ce qu'il lui prenait donc d'avoir de grands yeux doux?

Et il lui adressait la parole, en plus!

— Jeune Fille Arbre, grondait-il entre ses grandes dents pointues, pointues, et cela faisait comme un roulement de tonnerre parce qu'il roulait très fort les «r». Jeune Fille Arbre, venir maison?

— Hmmmm! Hmmmm! fit Napoléon.

Cerise s'aperçut qu'elle lui tenait encore le bec. Elle le lâcha, éberluée, et encore trop effrayée pour dire quoi que ce soit. Elle contemplait la créature, bouche bée. La tortue eut plus de présence d'esprit.

— Bieeeeeeen le bonjouououour, maître Graaaaaand Chaperooooon Rouououououge! salua Napoléon fort poliment.

«Celui-là, se dit Cerise, décidément, il n'est pas facile à impressionner.» Puis elle se souvint que les habitants de la Forêt Profonde formaient une sorte de communauté, et que ses membres devaient forcément se côtoyer. Il n'était donc pas si étonnant que Napoléon réagisse aussi calmement, puisqu'ils se connaissaient sans doute. Et cette extrême politesse (il avait appelé «maître» l'effrayante créature, quand même) montrait non seulement qu'il savait qui elle était, mais qu'il la respectait beaucoup.

— Jour, bon, répondit le monstre. Tortue, Jeune Fille Arbre, fatiguées. Venir maison moi? Faire thé. Manger galettes bleuets. Dormir. Vous, très fatigués. Venir?

Napoléon se tordit le cou pour interroger Cerise du regard. Celle-ci, maintenant plus curieuse que craintive, acquiesça d'un hochement de tête. Quel drôle d'accent, quelle étonnante façon de s'exprimer ! Il y avait de la gentillesse dans cette voix-là. Il paraissait beaucoup moins terrible en personne, le Grand Chaperon Rouge. Et puis, avec les galettes aux bleuets, on était loin des orteils d'enfants frits dans la graisse de madame. La jeune fée réalisait qu'elle s'était fait une idée sur quelqu'un en se basant uniquement sur des rumeurs, sur des on-dit. Ce n'était pas bien. Elle contemplait les grands yeux mouillés de la créature qui se teintaient de joie tandis qu'elle acceptait l'invitation. Oui, c'était là un être doué de bonté. De vraie bonté. On pouvait lui faire confiance. Elle n'avait plus peur du tout. Et elle avait vraiment besoin de se reposer !

Serrant contre elle Napoléon qui se tenait coi, elle emboîta le pas au Grand Chaperon Rouge. Celui-ci, en se retournant de temps en temps pour voir si ses compagnons le suivaient, leur lançait de grands sourires dentus, tout réjoui de recevoir enfin des invités chez lui.

9

Le songe de Malavenant

Malavenant dormait. Bien au chaud, bercé par la marche de Léanne, il rêvait.

Il rêvait qu'il se trouvait dans le ventre de sa maman. Il flottait dans une sorte de tiédeur béate, enveloppé de bonheur et d'amour. Deux voix chaleureuses traversaient régulièrement son cocon pour venir déposer dans ses minuscules oreilles tout plein de mots câlins. D'abord il y avait une voix très douce qui semblait tout près, et dont les paroles étaient souvent accompagnées de sensations bien agréables, comme si les parois de son cocon elles-mêmes lui faisaient des caresses. Parfois, c'étaient de légers tapotements, et, d'autres fois, de lents mouvements apaisants. La seconde voix arrivait de plus loin. Elle paraissait plus feutrée, comme masquée par un écran. Mais elle était aussi tendre et aimante que la première. Et lorsque ces voix lui parlaient toutes les deux en même temps, c'était comme si tout ce qu'il y avait de beau et de bon dans l'univers venait fleurir en lui. Il était bien. Si bien.

Puis la seconde voix disparut. Celle qui restait se fit peu à peu distante et froide, puis de plus en plus rare. Jusqu'à disparaître à son tour.

Malavenant gémissait de sa toute petite, petite voix, emmitouflé dans sa manche de chandail.

— On dirait qu'on entend un minou ! remarqua Léo.

— Ça vient du sac de Léanne, observa Mia.

— Ce doit être Malavenant, dit Léanne.

Le groupe s'arrêta et, malgré les protestations de Grosspafine qui marmonnait qu'à ce rythme-là on n'arriverait jamais, et qu'on aurait été aussi bien de rester chez soi et de ranger cette bestiole dans le pot avec ses congénères, Léo et Mia entreprirent d'aider Léanne à enlever son sac à dos, puis à le déposer délicatement par terre. La fillette aux lunettes roses ouvrit le sac et, avec ses compagnons, en examina le contenu. Le crapaud dormait toujours, couché sur le dos, tout écartillé, d'un sommeil fort agité. À force de gigoter, il avait fini par se dégager de la manche de chandail qui l'enveloppait. Sa tête tournait d'un côté et de l'autre et il laissait échapper de petites plaintes aiguës. Au bout d'un moment, les enfants s'écartèrent pour laisser leur vieille amie regarder à son tour, car elle se plaignait qu'on ne lui montrait jamais rien, à elle. Et, comme elle avait toujours un peu mauvaise haleine, ils s'éloignèrent suffisamment pour que sa grosse face hirsute prenne toute la place dans l'ouverture du sac à dos.

— Eh bien ! s'étonna-t-elle de sa voix grinçante étouffée par le sac où elle avait plongé son visage. C'est la première fois que je vois ça !

— Quoi donc, Grosspafine ? interrogèrent les enfants.

La sorcière sortit sa tête du sac pour leur expliquer sa réaction.

— C'est que, d'habitude, dit-elle en tortillant pensivement l'un des trois grands poils qu'elle avait au menton, les gens saupoudrés à la somminette dorment si dur qu'ils ont l'air morts. Ils ne bougent pas, mais alors là, pas du tout, jamais, jamais! Pouah, le petit sacripant! Il est tannant même quand il dort!

Là-dessus, Grosspafine rota très fort pour bien montrer la mauvaise opinion qu'elle avait de cet indésirable. Mais, comme Léanne lui faisait les gros yeux derrière ses lunettes, elle prit tout de même la peine de s'excuser.

— Bah! ajouta-t-elle. Au moins, il dort. Il doit rêver à son prochain mauvais coup, c'est tout.

— Grosspafine, gronda Léanne. Tu es bien dure avec cette pauvre petite bête.

— C'est vrai, ça, s'exclama Mia la moqueuse. Hi! Hi! Hi! Grosspafine est frustrée! Grosspafine est frustrée!

— Regardez, il bouge encore! appela Léo.

C'était vrai. Dans son rêve, Malavenant était redevenu lui-même à l'âge de quatre ans. Il était maintenant au parc avec sa gardienne. Il était assis dans le bac à sable, mais il ne jouait pas. Sa gardienne, assise sur un banc juste à côté, lisait un gros livre où il n'y avait pas d'images. Sa pelle à la main, le bras suspendu dans son geste, Malavenant regardait, non loin de là, un autre petit garçon de son âge qui jouait au ballon avec un monsieur. Le monsieur souriait de toutes ses belles dents blanches et le petit garçon riait, riait, et le monsieur l'attrapait et le chatouillait, et le petit garçon riait, et riait encore. Alors Malavenant demanda à sa gardienne : « Il y en a beaucoup, des *monsieurs* qui gardent des enfants ? » La gardienne leva le nez de son livre, jeta un coup d'œil dans la direction que pointait le doigt du petit prince et lança distraitement, avant de se replonger dans sa lecture : « Ah ! Mais, celui-là, il doit être avec son papa ! » Et le mot « papa » cogna dans le cœur de Malavenant comme un douloureux écho.

Papa, papa, papa... Papa qui était parti avant que son petit garçon vienne au monde et qui n'était jamais revenu... Dans le rêve de Malavenant, la gardienne relevait à nouveau la tête de son livre et le regardait méchamment. Elle se mettait à devenir très laide avec des dents toutes noires, et ses sourcils se fronçaient, et elle grognait, et les mots qui jaillissaient de sa bouche toute tordue le transperçaient comme des flèches empoisonnées : « Toi, ton père, disait le monstre dans le rêve, il ne voulait pas de toi ! C'est pour cela qu'il n'est jamais revenu ! »

Et le rire horrible de l'épouvantable gardienne résonnait jusque dans le cœur du petit garçon qui avait mal, mal, mal…

Léanne contemplait son passager qui s'agitait si fort. Elle songeait, en fille intelligente et sensible comme elle l'était, que ce crapaud malcommode avait sans doute au fond de son âme un grand chagrin qui le tourmentait. Elle savait combien la souffrance peut rendre les gens désagréables. Elle se souvenait très bien de Dame Flamboyante, du Grand Chambellan, de Grosspafine elle-même qui avaient eu le cœur durci par le chagrin.

Tendrement, elle recouvrit le crapaud de la manche de chandail, puis, avec un soupir, referma son paquetage en hochant la tête. Tandis que ses amis l'aidaient à remettre les courroies de son sac à dos sur ses épaules, elle prit une décision. Oui, bien sûr, retransformer le crapaud en prince, c'était une chose importante. Mais cela ne s'arrêterait pas là, oh, non. Au contraire. Parce que, une fois ce problème réglé, il faudrait encore aider son pauvre cœur à guérir de son chagrin.

10

La vraie nature du Grand Chaperon Rouge

Il faisait bien sombre chez le Grand Chaperon Rouge. Et il y avait de quoi ! En effet, celui-ci habitait dans une sorte de tanière. Cela sentait la terre et le sapin. Des racines pendouillaient ici et là du plafond irrégulier. Quelques meubles grossiers garnissaient ce pauvre logis : une petite table, deux bûches faisant office de bancs et, tout au fond, un grabat garni d'une paillasse de sapinage qui devait servir de lit à la créature. Dehors, juste à l'entrée, un vieux barbecue récupéré jouait le rôle d'un fourneau. L'étrange propriétaire des lieux y faisait cuire les galettes aux bleuets qu'il avait préparées pour

Cerise et Napoléon avec force grognements réjouis et démonstrations de contentement.

Les deux compagnons buvaient, poliment, le thé fumant qu'il leur avait servi, dans une tasse ébréchée pour la jeune fée et dans une vieille gamelle pour la tortue. Silencieux, ils observaient leur hôte qui se tenait près de la porte, surveillant ses galettes d'un air concentré. Le thé était bienfaisant. Bien sûr, après cette longue marche, il était bon d'étancher sa soif, mais il y avait plus. Une douce sensation de calme s'emparait de ceux qui buvaient cette infusion aux parfums capiteux. Cerise n'en avait jamais goûté de pareille, et elle se dit qu'il faudrait demander quelles herbes la composaient.

Enfin, le Grand Chaperon Rouge revint dans son antre et, fier de ses talents de marmiton, présenta à ses invités une douzaine de belles galettes aux bleuets bien dorées déposées sur une grande pierre plate. Respirant les arômes à plein nez, Cerise dit :

— Hmmmmm ! Avec le sapin et les galettes, on dirait que ça sent Noël ! Merci, Grand Chaperon Rouge !

Et elle en prit une qu'elle croqua. Oh, bigre de bigre ! Mais c'était du bonheur à l'état pur, ces galettes ! Tendres, parfumées, moelleuses, fondantes, et juste ce qu'il fallait de petits fruits bleus, sans plus. Elle s'empressa d'en offrir un morceau à Napoléon qui le goba et finit par donner son appréciation après avoir longuement savouré :

— Eeeeeexcellent, maître Grand Chaperon Rououououge. Ma foiiiiiii, vous êtes le phéniiiiiiix des hôôôôôtes de ces boiiiiiis.

— Ah ! Ah ! Comme corbeau dans fable monsieur Lafontaine ! répondit le Grand Chaperon Rouge en souriant de toutes ses dents pointues, pointues.

— Vous connaissez Jean de Lafontaine ? s'enquit Cerise.

— Oui, oui ! Moi lire beaucoup, beaucoup livres, ça bons amis pour Grand Chaperon Rouge, fit la créature en pointant, d'un long doigt mince comme une paille, un recoin dans les profondeurs de sa tanière. Avec livres, ajouta-t-il de sa voix caverneuse empreinte d'une certaine tristesse, avec livres, jamais complètement seul. Toujours avoir amis.

— Oh ! s'exclama la fée en regardant dans la direction montrée par le Grand Chaperon Rouge. On dirait une bibliothèque !

Cerise adorait lire. C'était même son activité favorite. Pouvez-vous deviner quelle était sa lecture préférée ? Eh oui ! Vous avez mis dans le mille : les contes de fées, bien sûr ! Aussi courut-elle illico vers la bibliothèque pour examiner le contenu des étagères. Une fois sur place, elle se rendit compte qu'elle n'était pas au bout de ses surprises avec ce drôle de monstre. Imaginez-vous donc qu'il avait les mêmes goûts qu'elle ! Il y avait tous les auteurs qu'elle aimait dans cette bibliothèque : les œuvres de Charles Perrault, de madame Leprince de Beaumont, des frères Grimm, et même les contes de Hans Christian Andersen ! Et puis il y avait encore *Alice au pays des merveilles*, *Le Merveilleux Voyage de Nils Holgersson*, *Peter Pan*, et tout plein d'autres.

— Oh ! s'écria-t-elle tout excitée, Grand Chaperon Rouge, vous possédez des livres que je n'ai pas lus !

— Ça, grande chance ! répondit la créature. Livre pas lu, trésor à découvrir ! Moi prêter, si Jeune Fille Arbre vouloir.

Cerise battait des mains de joie. Napoléon, lui, apparemment insensible à toute cette agitation, somnolait dans son coin. Il faut dire que les gesticulations des créatures debout, en général, l'énervaient beaucoup et le plongeaient, par esprit de contradiction, dans une sorte de léthargie dont il était fort difficile de le faire sortir. La jeune fée considérait maintenant avec des yeux neufs le Grand Chaperon Rouge, qui penchait vers elle sa longue face tourmentée. Oui, bien sûr, vu de pas trop près, il pouvait effrayer, avec toutes ces dents. Et puis, il y avait les doigts si longs et si minces qui terminaient ces bras comme des poutres. Mais il avait les yeux si doux... Et il paraissait si triste, tout seul dans les profondeurs désolées de cette vieille forêt... Il avait tellement raison : avec un livre à lire, vous avez toujours un ami pour vous tenir compagnie.

Cerise plongea son propre regard dans celui du Grand Chaperon Rouge qui la contemplait en silence, la tête un peu de côté à cause du plafond trop bas. Il émanait de lui une infinie bonté. Et une solitude vaste comme un désert. Sans réfléchir, elle entoura le grand corps maigre de ses deux bras et le serra contre elle. D'abord il se raidit, peu habitué qu'il était à recevoir des marques de tendresse, étant donné qu'il faisait peur à tout le monde. Puis, très lentement, en hésitant un peu, il referma sur la jeune fée l'ample cercle de ses bras. Il sentait le sapin et la terre, comme sa maison, comme la Forêt Profonde dont il faisait partie, ainsi que toutes les créatures font partie de la terre dont elles sont issues. À l'instant où sa joue toucha le tissu rugueux du trop petit manteau rouge, Cerise sut qu'elle s'était fait un ami. Un vrai de vrai ami. Pour la vie.

11

Le chevalier Roger de Vertefeuille

Le soir approchant, le Grand Chaperon Rouge proposa à Cerise et Napoléon de dormir chez lui. Il leur fit des lits de branches de sapin près du sien et leur offrit pour le souper une délicieuse soupe à l'ail des bois. Mais lui, il n'en mangea pas. D'ailleurs, il n'avait pas goûté à la collation de galettes aux bleuets non plus. Il se contenta de glands de chêne qu'il croquait facilement avec ses grandes dents pointues, pointues. Il mangeait tout le gland, la coquille avec. C'était à cela que servait cette si effrayante dentition ! En constatant à quel point elle s'était trompée, Cerise éclata de rire et, lorsqu'elle lui expliqua les raisons de sa bonne humeur, le gentil monstre s'esclaffa à son tour.

— Ah ! Ah ! Ah ! rigolait-il. Orteils d'enfants frits ! Ah ! Ah ! Ah ! Dans graisse de madame ! ! ! Hi ! Hi ! Vraiment bonne blague !

Napoléon, lui, ne riait pas. Il restait silencieux dans son coin, mâchonnant des feuilles de laitue sauvage. Il n'était pas maussade, non, il était juste comme ça, tranquille. Les tortues ne sont pas des animaux très causants, alors rire à gorge déployée, c'était bien loin des goûts de Napoléon ! Il les écoutait parler, le Grand Chaperon Rouge dans son drôle de langage et Cerise qui bougeait les mains et qui souriait, très joyeuse. Ils échangeaient des propos sur leurs personnages de contes de fées favoris. La jeune fée éprouvait une affection particulière pour Boucle d'or, tandis que le Grand Chaperon Rouge, lui, jugeait que l'ogre du Petit Poucet aurait mérité plus de considération.

— Lui, mal jugé ! affirmait-il. Lui, juste vouloir nourrir famille ! Ogres manger enfants, alors normal vouloir manger Poucet ! Ça être nature ! Ogres pas méchants, juste suivre instinct !

Cerise convenait que l'ogre avait de bonnes raisons d'agir comme il l'avait fait dans le conte, mais elle le trouvait quand même effrayant.

— Cependant, ajouta-t-elle en adressant un beau sourire à son nouvel ami, je sais maintenant qu'il ne faut pas se fier aux apparences. Des fois, les gens paraissent inquiétants, et puis, quand on les connaît, on s'aperçoit qu'ils sont gentils. Je suis très heureuse de vous connaître, Grand Chaperon Rouge.

— Moi aussi, grogna tendrement la créature. Moi aussi, très content. Vous belle et douce, et moi prêter tous les livres que vouloir Jeune Fille Arbre.

— Merci, répondit Cerise.

Et ils poursuivirent ainsi leur conversation à bâtons rompus (cela veut dire «parler de tout et de rien») tandis que, dehors, la nuit s'épaississait sur les mystères de la Forêt Profonde. Napoléon avait rentré sa tête dans sa carapace et s'était endormi. Toutes sortes de bruits témoignant des activités nocturnes de la forêt parvenaient à l'intérieur de la tanière : des chuintements et des craquements, des grincements et des feulements, et même, de temps à autre, un rugissement. Cerise, bien qu'elle se sentît en sécurité dans la maison du Grand Chaperon

Rouge, ne put réprimer un frisson de peur lorsqu'un cri lugubre se fit entendre tout près, vraiment tout près de la tanière.

— Jeune Fille Arbre, pas avoir peur, la rassura son ami. Pas danger ici. Mais vrai que Forêt Profonde pas toujours meilleur endroit pour promenade !

— Oui, gémit Cerise, je sais ! C'est ce Malavenant Tousswitt aussi, qui…

La jeune fée s'interrompit. Le Grand Chaperon Rouge était devenu tout pâle.

— Qu'est-ce que vous avez ? demanda-t-elle. Vous avez avalé un gland de travers ? Vous allez vomir ?

— Qu… Quoi vous dire ? fit la créature d'une voix soudain très anxieuse. Vous dire : Tousswitt ?

— Oui, oui, répondit Cerise. C'est mon cousin ! Je le gardais, mais il est très malcommode, alors il faisait toutes sortes de mauvais coups, et moi, je me suis fâchée, et alors…

— Vous parler fils de reine Tousswitt ? la coupa le Grand Chaperon Rouge.

Il était devenu vraiment nerveux tout à coup. L'apprentie Fée-Marraine commençait à s'inquiéter.

Elle décida d'afficher un air très calme pour ne pas l'énerver encore plus.

— Oui, dit-elle donc posément. Je parle en effet du prince Malavenant Tousswitt-de-Vertefeuille, unique héritier du royaume d'Aquautée. Quel est le problème ?

— Oh ! Oh ! s'exclama le Grand Chaperon Rouge qui se leva, renversant le tabouret sur lequel il était assis. Malavenant être fils de Roger de Vertefeuille ? Pas vrai ?

— Mais, Grand Chaperon Rouge, il n'y a pas de danger, voyons ! tenta de le rassurer Cerise.

— Oh ! Oh ! répétait la créature en secouant la tête. Vous pas savoir ! Grand malheur, grand malheur est arrivé ici !

— Mais expliquez-vous, à la fin ! s'impatienta la fée. Assoyez-vous, maintenant, et dites-moi pourquoi vous vous énervez comme ça.

Napoléon, avec tout ce bruit, s'était réveillé et étirait le cou pour écouter. Le Grand Chaperon Rouge s'était rassis sur son petit banc. Reprenant peu à peu son sang-froid, il raconta à ses deux invités l'histoire la plus étonnante qu'ils aient jamais entendue. Il fallait l'interrompre souvent, parce que sa façon de construire ses phrases donnait parfois de drôles de résultats, et l'on avait besoin d'explications. Mais, quand tous les bouts du récit furent raboutés, le résultat dépassa tout ce que Cerise et Napoléon auraient pu imaginer.

Voulez-vous connaître le récit du Grand Chaperon Rouge ?

Bien sûr que je vais vous le livrer. Le voici donc, tel qu'on me l'a rapporté. Écoutez.

Huit ou neuf hivers avant l'histoire du prince Malavenant, le Grand Chaperon Rouge marchait dans la Forêt Profonde à la recherche de glands. Soudain, il entendit un gémissement étouffé. Il se dirigea vers le lieu d'où provenait la plainte et arriva devant un grand trou. Il s'agissait d'un ancien piège à loup-garou.

— Gens avoir peur de tout, et faire pièges au lieu vouloir connaître, déplora le Grand Chaperon Rouge. Moi détruire beaucoup pièges, mais jamais réussir enlever tous.

Même quand on eut compris que Barbe-Douce n'était dangereux pour personne, on n'avait pas trouvé bon d'aller désamorcer les pièges disséminés un peu partout dans la forêt. La plupart étaient assez inoffensifs, puisqu'il s'agissait de simples trous creusés dans la terre. Mais dans certains d'entre eux avaient été plantés des pieux très pointus qui pouvaient causer de très graves blessures à quiconque tombait dedans. Par malheur, celui dans lequel se trouvait l'homme que le Grand Chaperon Rouge avait entendu gémir faisait partie de la seconde catégorie. L'homme était tombé sur le dos, et l'un des pieux lui avait transpercé le corps. Il était bien mal en point. La créature des bois réussit à le sortir de ce trou, à l'emmener dans sa tanière, à soigner sa blessure. Durant des semaines, le blessé fit de la fièvre, délirant, appelant sa femme et parlant d'un petit bébé à naître. Parfois, il allait mieux, et alors il réclamait des galettes aux bleuets. Il en donna même la recette à son garde-malade improvisé. Mais, la plupart du temps, il se portait très mal. La blessure ne voulait pas guérir, malgré tous les soins que lui prodiguait le Grand Chaperon Rouge. Plus le temps passait, plus le malade déclinait.

— Lui supplier moi trouver famille, gémit la créature en hochant la tête.

L'homme voulait que sa femme et son enfant sachent qu'il avait pensé à eux jusqu'au bout. Le

Grand Chaperon Rouge tentait de le rassurer du mieux qu'il pouvait, il lui disait qu'il verrait bientôt ceux qu'il aimait...

— Mais blessure s'aggraver, s'aggraver, poursuivit tristement le sauveteur en essuyant de ses longs doigts les larmes qui ruisselaient sur ses joues.

Puis, un matin, le gentil monstre comprit qu'il n'y avait plus rien à faire pour cet homme. Il lui fit boire une tisane qui calme la douleur et resta à ses côtés jusqu'à la fin, en lui tenant la main.

— Lui mort ici, sur paillasse à moi, ajouta tristement le Grand Chaperon Rouge.

Après une petite cérémonie sous les étoiles, il enterra le corps un peu plus loin dans la forêt et planta un chêne sur cette tombe.

— Nous aller voir demain. Maintenant, c'est nuit. Et nuit, trop dangereux dans Forêt Profonde, même pour moi, conclut la créature.

— Et... vous avez retrouvé sa famille ? demanda Cerise.

— Essayé, essayé, dit le Grand Chaperon Rouge. Mais moi faire peur ! Tout le monde vouloir me déchaperonrougir ! Moi pas vouloir finir tas de patates pilées ! Alors rester ici, attendre. Espérer.

Et vous arriver ! termina-t-il avec un grand sourire. Moi pouvoir enfin tenir promesse !

— Oui, bien sûr, compatit Cerise. Je transmettrai votre message. Ces satanés pièges à loup-garou ! Il faudra organiser quelque chose pour s'assurer qu'ils disparaissent à jamais. Mais quel est le rapport entre ce pauvre homme et mon cousin ?

— Ça être tombé poche de l'homme quand moi soulever lui pour enterrer, répondit simplement le Grand Chaperon Rouge en sortant de sous son trop petit manteau un parchemin plié en quatre, maculé de terre.

La jeune fée saisit le pli et l'ouvrit. Ce qu'elle y lut la stupéfia. À mesure qu'elle parcourait la lettre, elle poussait des oh ! et des ah ! de surprise, tellement que Napoléon s'impatienta.

— Mais lisez doooonc à haute voiiiiiiix ! maugréa-t-il.

— Oh, oui, pardon ! s'excusa Cerise. Vous avez raison. Et elle se mit à lire.

Au chevalier Roger de Vertefeuille
Château royal
Royaume d'Aquautée

Cher chevalier,

J'ai une mission pour vous. J'aurais besoin d'un fruit de l'Arbre à tout. Ou peut-être de l'Arbre à rien ? Cet arbre se trouve à l'extrême ouest de la Forêt Profonde, dans la région que l'on appelle communément les Confins Éloignés. Ou peut-être est-ce à l'est ? Il me faut absolument ce fruit, voyez-vous, car ses graines seront un jour d'un grand secours à quelqu'un qui vous est cher. Ou peut-être pas. Cependant, bien que l'on ne puisse prédire l'avenir avec exactitude, mon petit doigt me dit qu'il vaut mieux ne rien laisser au hasard. Alors, venez vite me porter cette chose. On ne sait jamais, avec la vie !

— Et c'est signé : Le Sage à face de Singe (ou le Singe à face de Sage), conclut Cerise.

Elle releva la tête et regarda tour à tour les deux autres avec des yeux ronds, puis, comprenant soudain la signification de toute cette histoire, elle se mit à pleurer. Napoléon voulut parler, mais le Grand Chaperon Rouge lui fit signe de se taire, puis se mit à flatter tendrement le dos de sa jeune amie.

— Là, là, disait-il, pleurer, pleurer, cela faire beaucoup bien, seule chose à faire quand chagrin trop grand. Là, là, là. Moi pleurer souvent très fort, tard le soir, quand penser à pauvre chevalier mort loin famille.

— Vous comprenez... Snif! sanglotait Cerise. C'était mon oncle! Snif! Et... Et c'était le... Snif! papa de mon cousin Malavenant!

— Mort faire partie de vie, Jeune Fille Arbre. Ça difficile, mais ça être loi dans nature, dit encore la créature.

Cerise pleura encore pendant un long moment. Lorsqu'elle s'apaisa enfin, il était l'heure d'aller au lit. Napoléon rentra sa tête dans sa carapace et la jeune fée s'étendit sur sa couche de sapinage. Juste avant de s'endormir, alors que le Grand Chaperon Rouge la bordait, elle dit tout bas :

— En plus, on ne sait même pas si le chevalier de Vertefeuille a réussi sa mission...

— Autre chose tombé de poche... dit son étrange ami en prenant un objet sur une tablette. Ça être quoi lui cherchait, moi penser.

Dans la grande main fine se trouvait un petit objet brun, tout ratatiné comme un vieux trognon de pomme. Cerise se redressa pour le saisir et l'examiner. Elle le porta à ses narines. Cela sentait… C'était indéfinissable : comme si tous les parfums de la terre étaient contenus à l'intérieur. La fée Cerise se recoucha en serrant le petit objet contre son cœur. Elle savait maintenant que son oncle avait rempli sa mission, car ce qu'elle tenait entre ses petits doigts de fée ne pouvait être qu'un fruit de l'Arbre à tout.

12

La Montagne Mauve

Le soleil se couchait sur les cimes des arbres qui dansaient doucement en bas, au pied de la montagne. Une brise légère parvenait jusqu'aux voyageurs, leur apportant des parfums d'écorce et de feuilles de la forêt. Léanne, Mia, Léo et Grosspafine se reposaient, assis dans les fleurs sauvages, en contemplant la vallée, si belle dans la lumière du crépuscule.

Comme ils avaient marché longtemps ! Toute la journée, ils avaient posé un pied devant l'autre, faisant de petites pauses de temps en temps, mais jamais assez pour reprendre vraiment leurs forces. Grosspafine avait mené la marche en les encourageant de sa voix bourrue, les houspillant encore plus fort lorsqu'ils se lamentaient. Vous comprenez, il fallait à tout prix atteindre la Montagne Mauve avant le crépuscule, avant que la nuit n'envahisse la Forêt Profonde. Les enfants ne se plaignaient pas trop fort, puisqu'ils se doutaient bien de ce qui attendait les imprudents qui s'attardaient sous les vieux arbres sombres après la tombée du jour… Ils s'étaient souvenus de tout ce qu'ils avaient entendu dire au sujet du Grand Chaperon Rouge, et cela les avait ragaillardi suffisamment pour continuer.

Maintenant, ils se trouvaient sur la montagne, et ils regardaient le soleil se coucher. Enfin ! Ils étaient si fatigués ! Mia se plaignait qu'elle avait des ampoules aux pieds. Léo tentait de compter les innombrables pétales d'une verge d'or et Léanne observait Malavenant, dans son sac, qui dormait toujours, hanté par ses rêves mystérieux. Grosspafine aussi lorgnait Malavenant, l'air maussade. Elle jeta un coup d'œil plein d'amour à Mia qui frottait ses talons en essayant de ne pas pleurer, puis revint au crapaud endormi. La Vilaine Sorcière s'inquiétait pour ses petits amis. Elle commençait à croire que cette expédition était une grave erreur.

— Satané crapaud ! finit-elle par éclater d'un ton rageur. Il aurait mieux valu le mettre dans le pot avec les autres ! Nous sommes épuisés, la pauvre petite Mia a mal aux pieds, et il n'y a toujours pas de Sage à face de Singe à l'horizon ! Qu'est-ce qu'on est venus faire ici, nous ? Et tout ça à cause d'une espèce de bête malavenante ! Je déteste les crapauds quand on ne peut pas les mettre dans les recettes !

Léanne eut envie de protester, de prendre encore une fois la défense de son protégé, mais elle était bien trop épuisée pour intervenir. Elle était certaine que, si elle parlait, elle allait zozoter, et cela, elle ne le voulait pas. Elle n'avait pas fait tous ces exercices de diction pour rien, n'est-ce pas ? Et puis, elle savait bien que Grosspafine n'était pas méchante au point de penser vraiment ce qu'elle venait de dire. La petite fille aux lunettes roses reporta son attention sur le prince endormi. Comme il avait l'air fragile, avec son bedon blanc qui se soulevait au gré de sa respiration, ses fines pattes terminées par des doigts minuscules... Il poussait encore de petits gémissements.

La voix de Léo la tira de sa réflexion.

— Un lutin ! Un lutin ! criait-il tout excité.

Les trois autres se tournèrent dans la direction pointée par le petit garçon. Les mains en visière, ils scrutèrent l'horizon qu'on distinguait encore dans la lumière mauve du crépuscule. En effet, une espèce de lutin s'en venait vers eux. C'était un petit bonhomme tout maigrichon, entièrement vêtu de rose, avec des cheveux bleus ébouriffés et une barbichette de la même couleur. Il arborait des oreilles toutes rondes et bien décollées, des joues rebondies et un drôle de nez retroussé. Et il s'approchait. Même qu'il leur faisait signe. Même qu'il leur disait quelque chose.

— Hé ! Ho ! Vous me cherchiez, j'imagine, ou peut-être pas ! leur criait-il.

Comme il s'approchait, Léo, qui avait décidément le sens de l'observation, remarqua :

— Dites donc, regardez, on dirait presque un singe !

Et c'était vrai ! Le nez tout rond, au milieu du visage, montrait des narines grandes et dilatées, ses lèvres minces formaient une bouche très longue, comme figée dans un éternel sourire. Et sous sa barbichette, aucun menton ne semblait pointer.

Voyant cela, Grosspafine se leva d'un bond et salua le nouveau venu d'une profonde révérence :

— Ô grand Sage ! dit-elle, nous sommes venus vous demander de l'aide !

— Je sais, dit le Sage. Ou peut-être pas !

— Ô grand Singe ! rigola Mia, nous sommes venus vous demander des bananes !

Grosspafine lui jeta un regard sévère, histoire de lui faire comprendre que ce n'était vraiment pas le moment de faire des blagues. Léanne et Léo s'étaient relevés aussi et considéraient avec curiosité celui qui, manifestement, était l'être pour lequel ils avaient tant marché. Ils avaient un peu peur qu'il se mette en colère après Mia. Ah, l'incorrigible farceuse ! On ne se moque pas comme ça d'un personnage aussi important ! Mais, à leur grande surprise, il éclata de rire.

— Ah ! Ah ! Ah ! Hi ! Hi ! Hi ! Petite coquine, petite Mia, ton grand plaisir est de taquiner les gens, n'est-ce pas ? Tu devrais faire attention, mon enfant, ou peut-être pas… Tout le monde n'a pas un sens de l'humour aussi aiguisé que le tien, conseilla-t-il.

— Monsieur ! Votre Grâce ! intervint Léanne, nous avons besoin de votre aide !

— Ah ? fit le petit être. De l'aide ? Beaucoup de gens viennent ici dans ce but-là. Ou peut-être pas ! Que puis-je faire pour vous, mes enfants ?

Pour toute réponse, Léanne désigna son sac. Le Sage s'en approcha en sautillant et s'accroupit, les coudes sur les genoux.

— Hum ! Hum ! fit-il. Mais que voilà un gentil petit batracien ! Ou peut-être pas !

— Moi, observa Grosspafine, ce que j'en dis, c'est que c'est un vulgaire crapaud comme les autres, et qu'il serait plus à sa place dans un pot, mais les enfants, eux…

— Il n'est pas gentil ! coupa Mia avec une moue. Il a fait caca dans les mains de Léanne ! Et puis il fait des crises de colère quand on ne fait pas ce qu'il veut. Et Grosspafine l'a endormi avec la poudre de somminette parce qu'il était trop tannant !

— Il a un nombril ! claironna Léo.

— Et vous, petite mademoiselle, s'informa le Sage en se tournant vers Léanne, qu'avez-vous à dire au sujet de votre amphibien passager ? Car ce sac est le vôtre, non ? Ou peut-être pas…

— Heu… Ou… Oui, balbutia Léanne, intimidée. Ze… Je l'ai transporté jusqu'ici dans mon sac.

— Vous faites preuve d'une belle générosité, petite fille. Les gestes généreux sont rendus à ceux qui les posent. Ou peut-être pas.

Malavenant couina. Il rêvait encore à la vilaine gardienne qui lui disait que son papa l'avait fui. Il avait mal dans son cœur, il avait de la peine. Si des larmes avaient pu couler des yeux d'un crapaud, il aurait bien inondé le sac de Léanne. Mais aucun des compagnons ne se doutait de ce qui se passait dans l'esprit du prince. Aucun? Vraiment?

— Hmmmm… Il est triste, votre ami, remarqua le Sage. Son petit cœur lui fait bien mal.

— Ou peut-être pas? ne put s'empêcher d'ajouter Mia, qui porta aussitôt la main à sa bouche en arrondissant les yeux. Pardon! s'écria-t-elle, je ne voulais pas, c'est sorti tout seul!

Le Sage posa sur la petite moqueuse des yeux remplis de bienveillance.

— Un sage d'un pays lointain a écrit qu'il y a un temps pour chaque chose sous le soleil, dit-il. Et j'ajouterais, moi, que chaque chose a sa raison d'être sous le soleil. Cela est vrai aussi pour vos petites farces, jolie mignonnette. Mais il y a un temps pour faire des blagues. Ou peut-être pas.

— Excusez-moi, monsieur le Sage à face de Singe, murmura encore Mia en baissant la tête. Je vais faire attention, promis, promis.

— Mais voyons de plus près votre ami, poursuivit le Sage en se retournant vers le contenu du sac.

Il tendit la main et saisit l'une des pattes du crapaud. Il la laissa retomber. Elle atterrit mollement sur l'estomac de Malavenant. Le Sage se pencha un peu plus et colla l'une de ses petites oreilles rondes sur la poitrine de l'animal. Quand il se releva, son visage était soucieux. Il secouait la tête, faisant bouffer ses cheveux bleus. Les enfants et la sorcière, anxieux (oui, oui, la sorcière aussi !), attendaient le diagnostic.

— Eh bien, mes amis, l'heure est grave, finit par annoncer le Sage à face de Singe. Ou peut-être pas.

Léanne commençait à trouver agaçante cette habitude qu'il avait de toujours se contredire lui-même. C'était sûrement pour cela qu'on le surnommait aussi le Singe à face de Sage. Elle jeta un œil à Grosspafine et Mia, qui ne semblaient pas se formaliser outre mesure de ce tic. Léo, lui, montrait au Sage le nombril du crapaud.

— Oui, opina le maître de la montagne. Il s'agit d'un humain victime d'une métamorphose, et non d'un véritable batracien. C'est normal qu'il ait un nombril s'il n'est pas né dans un œuf. Ou peut-être pas.

— Bon, alors ? finit par demander Léanne. Vous pouvez le guérir, oui ou non ?

— Oui, oui, oui, opina le Sage. Oui, je le peux ! Ou peut-être p…

— Vous pouvez le faire ou vous ne le pouvez pas ? insista Léanne.

— Ne vous impatientez pas, jeune fille, dit le Sage. Vous savez, dans la vie, tout est possible, toujours. Le oui et le non marchent main dans la main. Tant que rien n'est révolu, les deux demeurent envisageables. Comment, alors, dire tout à fait oui ou tout à fait non ? Il faut bien que je m'assure d'avoir toujours raison, puisque je suis un Sage. Alors, la plupart du temps, je dis oui et non à la fois.

— Pardon, fit Léanne piteusement. Je vais faire un effort pour être plus patiente.

— Écoutez, expliqua le petit être. Je peux guérir votre ami, mais seulement si j'ai entre les mains ce qu'il faut pour y parvenir. Et pour l'instant, je ne l'ai pas.

— Alors? firent en chœur les quatre visiteurs.

— Alors, je ne peux pas guérir votre ami, conclut le Sage à face de Singe.

— Et qu'est-ce que c'est, cette chose que vous n'avez pas? s'enquit Grosspafine, toujours curieuse de découvrir de nouveaux ingrédients magiques.

Le petit bonhomme aux cheveux bleus les regarda tous à tour de rôle. Il semblait évaluer si cela valait vraiment la peine de leur offrir son aide et de leur dévoiler cette information. Apparemment, il avait décidé que c'était le cas, puisque, après avoir hoché la tête, il lança:

— Il s'agit du fruit de l'Arbre à tout.

13

Le fruit de l'Arbre à tout

Tous les quatre entouraient maintenant l'étrange lutin. Dans l'air de cette fin de journée, les parfums des fleurs sauvages montaient leur chatouiller les narines. On entendait un gazouillis d'oiseaux, non loin. Tout était tellement calme. Le Sage s'assit dans l'herbe douce, les invita à faire de même et se mit à parler.

— Il y a très, très longtemps, dit-il, lorsque la Terre était encore neuve et que peu de gens la peuplaient, personne ne connaissait l'Arbre à tout. La vie était douce dans ce monde, même s'il fallait parfois travailler très dur pour la gagner. Oui, oui, on travaillait dur. On bêchait le sol pour faire pousser la nourriture. On chassait durant de longues journées, par tous les temps. On filait la laine pour tricoter des vêtements. On allait chercher l'eau à la rivière. Il fallait tout fabriquer soi-même : les meubles, les maisons, les jouets, tout. Rien n'était facile, vraiment. Mais on ne manquait de rien et l'on était heureux parce que, quoi que l'on fasse, on le faisait avec espoir. L'espoir que chaque geste posé donnerait un résultat positif, que chaque effort porterait fruit. Et comme l'espoir donne de l'énergie, eh bien ! on travaillait d'autant plus fort, et cela donnait encore plus de résultats. Vous comprenez ?

— Oui, oui, affirma Léanne. Mon papa, il dit touzours, euh… toujours que l'effort compte plus que le résultat !

— Et il a raison, votre papa, jeune fille, répondit le Sage. Mais les résultats comptent aussi. Parce qu'ils entretiennent l'espoir.

— Ils donnent envie de faire encore plus d'efforts ! s'exclama Mia.

— Très juste, petite coquine, opina le Sage en secouant sa barbichette bleue. Malheureusement, poursuivit-il, un jour une énorme tempête s'abattit sur la Terre. C'était juste à la fin des semailles. Des bourrasques gigantesques balayèrent les champs, et toutes les graines semées par les hommes s'envolèrent. Une pluie diluvienne tomba, transformant la terre en une boue épaisse qui se répandit dans les villages et envahit les maisons, pénétrant partout. Des toits furent arrachés. Les rivières sortirent de leur lit pour emporter les maisons. Un grand nombre de personnes perdirent la vie dans ce déchaînement de forces. Cela dura des jours et des jours.

— Oh ! Les pauvres ! s'exclama Léanne. Tous ces efforts réduits à rien !

— Anéantis ! ajouta Léo, tout fier de connaître ce mot difficile.

— Oui, c'est cela, confirma le vieux petit bonhomme. Et voyant tous leurs efforts réduits à néant, les hommes se découragèrent. Les femmes aussi, et également les petits enfants. « À quoi bon tant travailler ? se lamentaient-ils. À quoi bon, si une seule tempête peut tout balayer comme ça ! »

Grosspafine était captivée comme les enfants par le récit du Sage à face de Singe. Cela lui rappelait les histoires que lui racontait son grand-père Grôpette lorsqu'elle était toute petite.

— Ils avaient perdu l'espoir ! ne put-elle s'empêcher d'intervenir.

— Ils avaient perdu l'espoir, vous avez raison, chère Vilaine Sorcière, appuya le Sage. Ils ne voulurent plus faire d'efforts. Ils disaient que cela ne donnait rien. Ils cessèrent de travailler et se laissèrent aller.

— Mais, interrompit Léo, qu'est-ce qu'ils mangeaient, alors ? Comment ils s'habillaient ?

— Bah ! répondit le petit bonhomme, ils mangeaient ce qu'ils trouvaient, s'habillaient de la peau des bêtes mortes, s'abritaient dans des cavernes. Ils se trouvaient bien misérables. Cette situation perdura pendant... Oh... Au moins...

— Mille ans ? fit Léo en écarquillant les yeux.

— Encore plus que cela, mon petit, encore plus que cela. Je crois bien que cela dura une bonne éternité ! dit le Sage avec un petit sourire. Or, un jour, alors qu'elle errait dans la campagne à la recherche de quelque chose à se mettre sous la dent, une petite fille toute maigre tomba sur le dernier arbre encore vivant sur la Terre. C'était un très grand arbre, tout chargé de beaux fruits rouges et luisants. Tout cela était fort appétissant. La petite fille aurait bien voulu cueillir un de ces fruits extraordinaires pour en croquer un morceau. Elle était tellement affamée ! Malheureusement, les branches étaient beaucoup trop hautes. Impossible d'y grimper. Et le tronc de l'arbre étant parfaitement lisse, il n'y avait aucun moyen de s'y agripper. Pourtant... il ne manquait vraiment pas grand-chose pour qu'ils soient à portée de main, ces beaux fruits. Quelques centimètres...

Le Sage observa un moment ses compagnons en silence, toujours avec son sourire en coin, puis il continua.

— Non loin de l'arbre, la petite fille aperçut une grosse pierre. Elle se dit que, si elle parvenait à l'approcher de l'arbre et à grimper dessus, elle pourrait atteindre le fruit le plus bas, qui se balançait à quelques centimètres de ses doigts lorsqu'elle tendait la main en s'étirant le plus possible. Alors, elle essaya de pousser la pierre jusqu'au tronc de l'arbre. Mais celle-ci était très lourde. Elle en fut incapable. Elle réfléchit un peu, puis entreprit de creuser tout autour pour déterrer la pierre, afin de la faire rouler ensuite jusqu'à l'arbre. Une fois cela fait, cependant, elle ne fut pas plus capable de déplacer le bloc, qui était vraiment beaucoup trop lourd pour une petite fille toute seule.

— Est-ce qu'elle s'est découragée ? interrogea Mia.

— Non ! s'exclama Léanne. Non, ze... je suis sûre qu'elle ne s'est pas découragée ! Et ze sais... je sais pourquoi, en plus ! La petite fille, elle avait *l'espoir* d'atteindre les fruits !

— Voilà ! jubila le petit bonhomme. L'espoir, les enfants, l'espoir ! Tout est là ! Alors, la petite retourna chez les siens et convainquit son meilleur ami de l'accompagner jusqu'à l'arbre merveilleux. Ensemble, ils poussèrent, et poussèrent la pierre, durant tout un jour et toute une nuit, et encore un jour. Au début de la seconde nuit, ils avaient réussi. Ils cueillirent le joli fruit et le partagèrent. Et ils n'avaient jamais rien goûté de meilleur parce que, ce fruit, ils l'avaient obtenu par l'effort, l'entraide et...

— Et l'espoir ! terminèrent tous ensemble les quatre amis.

Le Sage à face de Singe les considérait avec ses petits yeux pleins de bonté. Il leur raconta encore comment, une fois le fruit mangé, les deux enfants conservèrent précieusement les graines qu'il contenait, et comment ils les semèrent au printemps suivant. Certaines de ces semences donnèrent des tomates, d'autres, des courges, d'autres encore, des framboisiers, et ainsi de suite, et ainsi de suite. Chaque graine produisait une plante comestible. Les hommes et les femmes se remirent à travailler la terre et à récolter les résultats de leurs efforts. L'humanité avait repris espoir, et encore mieux qu'avant, parce que les gens savaient, maintenant, que tout peut toujours recommencer, même après la pire des catastrophes.

— Est-ce qu'ils ont fait pousser aussi des Arbres à tout ? questionna Léo.

— Non ! répondit le Sage. Eh non ! Il n'existe qu'un seul Arbre à tout dans le monde. Il pousse aux Confins Éloignés de la Forêt Profonde, là où tout espoir peut sembler perdu à qui se trouve égaré par là. Et l'Arbre à tout ne produit des fruits que lorsque quelqu'un en a vraiment besoin.

— Quand on est désespéré ? interrogea timidement Mia.

— Oui, affirma le petit bonhomme. Il arrive aussi qu'un fruit apparaisse en prévision d'un besoin futur et qu'il attende que quelqu'un vienne le cueillir.

— La Terre est vraiment pleine de ressources étonnantes ! se réjouit Grosspafine.

— Comment ils s'appelaient, la petite fille et le petit garçon ? s'enquit Mia.

— La petite fille se prénommait Élie, et le petit garçon, Matthias, répondit le vieux petit bonhomme.

— Ils ont fait renaître l'espoir ! s'exclama Léo, en guise de conclusion.

Durant le récit du Sage à face de Singe, la journée s'était terminée. Le soleil avait fini de s'en aller de l'autre côté de l'horizon sans que personne s'en soit rendu compte. La nuit était tout à fait tombée, maintenant. Sur la montagne, la température était étrangement douce. Il régnait une atmosphère bienheureuse. Les voyageurs se sentaient baignés d'un grand sentiment de bien-être. Ils n'avaient même pas eu faim ! C'était comme si la béatitude qui les habitait, depuis qu'ils avaient atteint le sommet, avait suffi à nourrir autant leur corps que leur âme. Seulement, ils avaient sommeil. Leur hôte leur adressa son gentil sourire en coin, puis déclara :

— Il faut dormir, maintenant. Le prochain matin nous apportera ce que nous désirons. Ou peut-être pas !

Après avoir souhaité bonne nuit au Sage à face de Singe qui s'en allait de son côté, on déroula les sacs de couchage et l'on s'étendit là, dans les parfums mêlés de mille et une espèces de fleurs. Les doux feuillages formaient sous les quatre voyageurs un tapis moelleux et confortable, encore plus que les matelas sur lesquels ils avaient l'habitude de s'allonger chez eux.

Cette nuit-là, tous les dormeurs firent de très beaux songes. Même Malavenant eut un sommeil tranquille, se rêvant dans les bras de sa maman qui avait enfin le temps de le câliner.

14

Tout se tient

Au petit matin, Cerise et Napoléon suivirent le Grand Chaperon Rouge à quelques dizaines de mètres de sa tanière, jusqu'à l'endroit où reposait le chevalier de Vertefeuille. Ainsi que l'avait indiqué leur hôte, ils trouvèrent là un jeune chêne robuste, qui portait déjà des glands, encore verts, mais prometteurs de nombreuses autres générations d'arbres. Sur une pierre, juste au pied du chêne, on pouvait lire en lettres gravées : « Ici gît le chevalier Roger, sieur de Vertefeuille, époux et papa bien-aimé, qui est mort en accomplissant courageusement une fort périlleuse mission. » Cela vous étonne que le Grand Chaperon Rouge ait réussi à mettre tous ces mots dans le bon ordre ? C'est qu'il avait reçu l'aide d'une vieille corneille pour écrire l'épitaphe comme il faut. Les corneilles qui vivent dans ces régions-là sont des oiseaux très instruits, vous savez. Oui, oui. Je vous en reparlerai un jour.

La jeune fée déposa sur le monticule un bouquet de violettes des bois et se recueillit un moment. Puis, d'un ton décidé, elle s'adressa à la terre :

— Cher chevalier, mon oncle, je vais terminer votre mission. Vous ne serez pas mort pour rien.

— Rien jamais mourir pour rien, rectifia le Grand Chaperon Rouge.

— Oui, acquiesça Cerise, c'est vrai, mais j'ai comme l'intuition que cette mission, si elle est accomplie, pourra nous ramener mon cousin. La lettre du Sage à face de Singe parle d'un être cher à mon oncle... Et d'un éventuel besoin futur... Se peut-il... ?

— Cela paraît évideeeeent, ma chèèèèèère, fit Napoléon. Ce Siiiiiinge si saaaage, il avait vu l'aveniiiiir, c'est incontestaaaaable.

— Sûr ! renchérit le Grand Chaperon Rouge. Sage à face de Singe, toujours prévoir tout ! Savoir chevalier mourir, savoir enfant malcommode, savoir tout !

— Oui, peut-être. Mais, objecta la jeune fée, s'il savait comment se terminerait cette mission, pourquoi y a-t-il envoyé le chevalier de Vertefeuille ? Il ne serait pas mort s'il n'était pas parti en quête de cette espèce de fruit à la gomme, non ?

— Hum ! fit Napoléon. Elle n'a pas tooooooort, cette féééééée !

— Non, non, non ! protesta le Grand Chaperon Rouge. Chevalier devoir mourir d'une manière ou d'une autre ! Grand sage seulement faire pas mourir pour rien !

— En somme, traduisit Cerise, vous voulez dire que ce... Sage, il savait que le chevalier devait mourir de toute façon, et qu'il s'est assuré, en lui confiant cette mission, que sa mort servirait à quelque chose ? Pourquoi n'a-t-il pas empêché que cela se produise, tout simplement ?

— Personne pouvoir empêcher mort ! Mort faire partie de vie ! s'obstina la créature en secouant la tête.

La jeune fée avait du mal à accepter cette idée-là. Mais elle savait bien, au fond, que son ami avait raison, même si cette éventualité de perdre les êtres qu'on aime la révoltait. Si un être aimé disparaît, c'est tout notre univers qui change, il y a un trou qui se creuse, et qui ne se comble plus jamais ensuite.

Plus jamais? Vraiment? En y réfléchissant, Cerise comprenait que le vide laissé par le départ d'une personne aimée pouvait se combler si l'on y mettait de l'amour. L'amour, oui, et l'espoir d'aimer encore. Elle sourit à travers ses larmes. Oui, c'était bien cela. Cela avait un sens. Et elle sentait que, si Malavenant savait dans son cœur que son papa était disparu en l'aimant, la paix reviendrait en lui-même. Puis elle eut la conviction que la reine Tousswitt, elle aussi, retrouverait une meilleure attitude lorsqu'elle apprendrait la destinée de son cher époux, puisqu'elle pourrait enfin lui dire adieu pour de vrai. Elle releva la tête, s'essuya les yeux, puis déclara d'une voix ferme :

— Je vais me rendre sur la Montagne Mauve, et je vais apporter le fruit de l'Arbre à tout au Sage à face de Singe. Il m'aidera à retrouver Malavenant et je le ramènerai à sa mère.

— Moi venir aussi! dit le Grand Chaperon Rouge.

Les deux amis se tournèrent vers Napoléon. Celui-ci les regarda tour à tour, puis il dit, posément :

— Pour moiiiiii, ça suffiiiiiit, les aventuuuuuures. Je vais attendre iciiii, si vous permetteeeeez.

— Vous êtes sûr ? demanda Cerise.

La tortue hocha lentement la tête. Le reptile préférait rester au calme, dans la tanière, tandis que les deux autres allaient vivre d'autres péripéties. Il n'avait jamais aimé l'agitation, et il avait connu assez d'émotions fortes à son goût. Cerise et le Grand Chaperon Rouge respectaient le besoin de tranquillité de leur compagnon et l'acceptèrent.

Ils préparèrent quelques provisions : le reste des galettes aux bleuets pour la fée, un gros tas de glands pour la créature. Ils saluèrent la tortue avec beaucoup de tendresse et, après s'être assurés qu'ils n'oubliaient rien, surtout le fruit de l'Arbre à tout et la lettre du chevalier Roger, ils s'enfoncèrent dans l'ombre feuillue. Napoléon scruta longuement, une fois qu'ils eurent disparu dans les profondeurs vertes, le sentier sinueux. Il espérait très fort que les deux aventuriers réussiraient cette quête. Tellement qu'il en avait le cœur tout serré. Ouf! Vraiment, cela faisait trop d'émotions pour une seule tortue! Il rentra dans la tanière où, la tête et les pattes enfouies sous sa carapace, il s'endormit.

15

Rencontre au sommet

Un nouveau matin colorait la montagne de rose. Mauve, elle l'était, oui, mais seulement quand on la regardait de loin. Ici, en ce moment même, elle était nimbée d'une jolie couleur de joue d'enfant, fraîche et parfumée. Sur la tapisserie multicolore que composaient les verges d'or, les trèfles, les rudbeckies, les pâquerettes et le mélilot, un aigle qui survolait la montagne aperçut quatre rectangles bleu marine. C'étaient les sacs de couchage de Grosspafine, Léanne, Mia et Léo. Les compagnons sortaient tout doucement du sommeil, à mesure que le soleil venait déposer ses chauds rayons sur leurs visages. L'aigle se réjouit pour son vieil ami, le

Sage à face de Singe, car il était rare que celui-ci ait de la visite. Avec son intuition de rapace, le grand oiseau devinait qu'il s'agissait, en plus, de visiteurs importants. Il lança dans la limpidité de l'air son cri aigu pour saluer le Sage à face de Singe, qui entendit cet appel se répercuter dans l'écho pur du matin et sourit en formulant dans son cœur le vœu que son ami ailé passe une journée de paix. Le vieux petit bonhomme était déjà debout, cueillant des herbes odorantes. Il agita sa main vers le ciel, où il pouvait apercevoir, très, très haut, un point noir tournoyant, le seul indice qui révélait la présence de l'oiseau.

Le Sage à face de Singe était heureux. Durant la nuit, il avait consulté les astres, ausculté le roc, interrogé les chuchotis du Ruisseau Bruissant qui prenait sa source ici, au sommet de la Montagne Mauve. Il avait écouté tous les sons de la nuit, jusqu'aux pépiements ténus des oisillons dans leurs nids. Il avait respiré les odeurs, tendu ses vieilles joues à chaque goutte de rosée, à chaque respiration du ciel. Et tout lui avait confirmé ce que la petite voix de l'espoir, dans sa tête, lui murmurait depuis quelques jours déjà : bientôt la boucle serait bouclée, bientôt les nœuds seraient dénoués. Cette histoire-là, l'histoire du prince Malavenant, tirait à sa fin. Et cette fin serait belle.

Tout en poursuivant sa cueillette, le Sage à face de Singe remercia la Beauté d'être encore là, comme chaque matin, pour rendre la vie plus douce aux habitants de la Terre. Une fois qu'il eut réuni toute une brassée de plantes variées, il claqua des doigts. L'œil malicieux, il surveilla les bûches qui faisaient leur apparition et s'entassaient les unes sur les autres. Puis il fit claquer ses doigts de nouveau, et les bûches s'enflammèrent. Il frappa deux coups dans ses mains, et une marmite vint se déposer sur le feu. Enfin, il siffla doucement, comme on appelle un petit chien. Un nuage dodu s'avança dans le ciel et s'immobilisa juste au-dessus de la marmite, où il déversa plusieurs litres de pluie.

— Ahah ! fit le petit bonhomme. Bien, bien ! C'est le moment d'appeler la magie !

Il jeta les plantes dans l'eau et se mit à chantonner sur un air qui ressemblait fort à celui de *Au clair de la lune* :

— Que la pluie enchante

Toutes les jolies plantes ;

Que le feu ranime
L'étincelle infime ;
Que le bel espoir
Sorte enfin du noir ;
Prince Malavenant
Deviendra charmant !

Pendant qu'il procédait à son incantation, ses visiteurs s'étaient réveillés, frais et dispos. De mémoire de Vilaine Sorcière, Grosspafine elle-même trouvait qu'elle n'avait jamais aussi bien dormi. Les enfants, eux, se sentaient carrément...

— Flambant neuf ! déclara Léo.

— Comme si on était nés ce matin ! ajouta Léanne.

— Et Malavenant, il est réveillé ? Il est redevenu un prince ? s'informa Mia.

Ils se précipitèrent vers le sac de Léanne, pleins du fol espoir que, sous l'influence bénéfique de cet air montagnard, Malavenant soit guéri du maléfice qui l'affligeait. Hélas, il dormait toujours, plus batracien que jamais. Il coassait même légèrement entre chaque respiration. Quelle déception ! Les enfants se sentirent encore une fois découragés.

— Mais je vous ai déjà tout expliqué ! tenta de les consoler Grosspafine. Seule la fée qui a jeté ce sort peut le défaire, et encore, il faudrait qu'il se réveille avant ! Et pour qu'il se réveille, on aurait besoin qu'une véritable princesse l'embrasse. À moins que le Sage à face de Singe ne possède une autre solution !

— Ou peut-être pas ! fit une voix derrière eux.

C'était bien entendu le maître de la Montagne Mauve qui s'avançait, guilleret, sautillant parmi les fleurs, sa barbichette voletant au rythme de ses galipettes. Aujourd'hui, il portait des vêtements jaunes et ses cheveux ainsi que les poils de son menton (ou ce qui lui tenait lieu de menton !) avaient pris une belle teinte émeraude. Il arborait, comme la veille, son regard pétillant et son sourire coquin.

— Alors, chers amis ? s'enquit-il gentiment. Comment va notre petit protégé ? Toujours anoure ?

— Amour ? dit Grosspafine, pas certaine d'avoir bien entendu. C'est loin d'être un amour, c'est plutôt une peste, oui !

— Non, non, pas amour ! corrigea le Sage en riant. Bien que l'amour ait tout à fait sa place dans cette histoire, n'en doutez pas! J'ai bien prononcé: anoure. C'est ainsi que l'on désigne les amphibiens qui perdent leur queue à l'âge adulte.

— Comme les grenouilles, les reinettes et les crapauds! énuméra Léo, toujours fier de montrer ses connaissances scientifiques. Anoure! répéta-t-il.

Le petit garçon nota soigneusement ce nouveau mot dans sa mémoire, songeant qu'il pourrait lui servir un jour, s'il devenait écrivain. Quoique... Comment insérer l'ordre des amphibiens dans un roman d'aventures? Hum! Il fallait considérer cette question. Il s'y mettrait, aussitôt cette histoire-ci terminée.

Tandis que Léo envisageait les différentes façons de faire intervenir un anoure dans un récit d'aventures, le Sage à face de Singe examinait Malavenant. Grosspafine et les filles scrutaient son expression, qui ne semblait pas très optimiste. Elles s'inquiétaient sincèrement pour leur protégé. Même la Vilaine Sorcière, qui d'ailleurs s'en étonnait elle-même: «Qu'est-ce qui me prend de m'énerver pour un crapaud? grommelait-elle entre ses dents. Si Jaunisse apprenait ça, il rirait de moi durant des semaines! » Chère Grosspafine, nous savons bien, nous, que sous sa carapace bourrue se cachait une grande sensible!

Le Sage à face de Singe avait terminé son examen.

— Bon! déclara-t-il. C'est moins pire que je le pensais. Mais si l'ingrédient que j'attends n'arrive pas avant que le soleil soit au milieu de sa course, nous resterons avec un crapaud endormi sur les bras.

— Quel ingrédient, cher maître? s'enquit Grosspafine.

Rappelez-vous que la plus grande passion de Grosspafine, dans la vie, c'était fabriquer des potions.

— Vous verrez, ma chère, répondit le Sage. Vous verrez. Il est en route en ce moment. Ou peut-être pas. Si vous voulez bien, nous allons l'attendre.

Derrière le petit bonhomme, la Vilaine Sorcière apercevait de la vapeur qui s'élevait à l'autre bout du pré fleuri. Elle devinait qu'il y avait de la marmite là-dessous. Et qui dit marmite, quand on a été élevé chez les Vilaines Sorcières, dit potions! Et ça, ça intéressait beaucoup notre amie. Beaucoup, beaucoup. Aussi, l'air de rien, posa-t-elle une nouvelle question :

— Vous fabriquez une potion, maître ? Une potion comment ?

— Mais une potion magique, chère amie ! Une potion magique, bien sûr ! répliqua le petit bonhomme avec un clin d'œil.

— Moi, dit Léanne, je pense que c'est une potion pour guérir Malavenant !

— Malavenant va boire la tasse ! fit Mia, toujours prête à plaisanter.

— Oh ! s'écria Léo. Regardez ! Il y a quelque chose de rouge qui bouge là-bas ! Qu'est-ce que c'est ?

Toutes les têtes se tournèrent dans la direction indiquée par le petit garçon. En effet, un peu plus bas, on pouvait distinguer une espèce de tache rouge qui se mouvait. Et qui s'approchait. Les mains en visière, les enfants guettaient, pleins d'espoir. Si c'était l'ingrédient tant attendu ? Et si ce ne l'était pas ? Et si…

— Monsieur le Singe ? chuchota tout à coup Mia, saisie d'une intuition soudaine.

— Oui, mon enfant ? écouta le Sage qui, manifestement, ne s'en faisait pas le moins du monde avec la manière dont on le nommait.

— Est-ce que vous savez à quoi ça ressemble, vous, un Grand Chaperon Rouge ? compléta la petite fille à toute vitesse.

Un Grand Chaperon Rouge ? Comment ça, un Grand Chaperon Rouge ? Léanne et Léo arrondirent les yeux, et Grosspafine avala de travers. Mais oui : ce n'est pas parce qu'on est une grande personne, même une grande personne Vilaine Sorcière, qu'on n'a peur de rien ! Ils étaient tous suspendus aux lèvres du Sage à face de Singe, attendant sa réponse. Un Grand Chaperon Rouge... Mais c'était encore plus dangereux qu'un loup-garou, ça. Même que, depuis que Barbe-Douce était revenu à la vie normale (ou presque...), tous ceux qui possédaient un délougarisateur à la maison l'avaient modifié pour en faire un déchaperonrougisseur. Cela produirait exactement le même résultat que le délougarisateur : la créature atteinte se transformerait aussitôt en tas de patates pilées. Alors, c'est vous dire l'appréhension qui leur serrait le cœur, aux visiteurs de la Montagne Mauve, tandis que se précisait l'identité de la fameuse tache rouge.

Il y avait, sous le capuchon du manteau, une longue face pâle, pourvue d'un nez démesurément allongé, de lèvres minces s'entrouvrant sur deux rangées de dents blanches et pointues, pointues. Grosspafine et les enfants furent tellement impressionnés par cette effrayante dentition qu'ils ne remarquèrent pas du tout la gentillesse infinie du regard de la créature au petit manteau écarlate. Ils se serrèrent les uns contre les autres. Le Sage à face de Singe, lui, demeurait où il était, parfaitement calme, souriant comme à son habitude. Il laissa le Grand Chaperon Rouge (car c'était lui, vous l'aviez reconnu !) s'approcher encore un peu, puis, à l'immense surprise de ses compagnons, il ouvrit les bras et les tendit vers le monstre. Puis, il prononça les paroles les plus surprenantes de l'univers :

— Chers amis ! Vous voilà ! Nous vous attendions !

« Chers » amis ? Au pluriel ? Les enfants et la Vilaine Sorcière s'interrogeaient des yeux. Comment ça, « chers » ? Cette créature était-elle donc si puissante que l'on devait s'adresser à elle au pluriel ? Ils reportèrent leur attention sur le nouveau venu. Ah? Mais qu'est-ce que c'était que cette touffe rouge foncé qui apparaissait un peu plus bas? Des cheveux? Une jeune humaine? Oui! Une jeune fée! Une jeune fée aux cheveux couleur de cerise à grappes! Elle leur faisait signe de la main.

— Bonjour, bonjour! les héla-t-elle. Sommes-nous chez le Sage à face de Singe?

— Venez, venez, chers amis, répondit le vieux petit bonhomme. Vous êtes les bienvenus!

— Moi, content! Nous faire longue route pour venir! fit le Grand Chaperon Rouge, toutes dents dehors.

Le Sage à face de Singe invita les arrivants à se présenter. Puis, il fit la même chose avec la Vilaine Sorcière et ses jeunes amis. Les présentations faites, il demanda, l'air mystérieux:

— Alors, petite fée Cerise, qu'est-ce qui amène une apprentie Fée-Marraine avertie jusqu'au sommet de la Montagne Mauve en compagnie du Grand Chaperon Rouge? Hmmmm?

— Je... Eh bien!... commença-t-elle. En fait, j'ai perdu mon cousin et je suis partie à sa recherche dans la Forêt Profonde.

— Et elle devenir Jeune Fille Arbre, et moi trouver elle ! jubila le Grand Chaperon Rouge.

— Heu... Oui, approuva Cerise. Il m'a invitée chez lui et, avec monsieur Napoléon, nous sommes devenus amis.

Elle jeta un regard timide à ses interlocuteurs, puis, constatant qu'ils ne saisissaient pas bien son propos, elle reprit toute l'histoire depuis le début, depuis le moment où elle avait trouvé son malcommode de cousin accroché la tête en bas au lustre de la salle de bal. Elle raconta sa colère, sa peur, son inquiétude ; elle narra sa rencontre avec la tortue irascible, sa métamorphose en bouleau (dont elle n'était pas peu fière) qui n'avait pas empêché le Grand Chaperon Rouge de l'apercevoir, la triste fin du chevalier Roger, tout ! Les autres l'écoutaient, allant de surprise en surprise. Seul le Sage à face de Singe ne montrait aucun signe d'étonnement. Comme s'il avait toujours su que ce moment adviendrait.

16

Le prince Malavenant

Lorsque la fée Cerise eut achevé son récit, il y eut un moment de silence comme on en connaît peu dans une vie. Vous savez, ce genre de silence dont on dit : « C'était un silence qui en disait long. » Oh ! oui, il en disait long, ce silence-là. Mais Cerise ne comprenait pas les significations cachées derrière le mutisme qui avait accueilli son histoire. Elle se sentait tellement soulagée d'avoir raconté tout cela, et elle était si épuisée d'avoir parcouru tant de chemin qu'elle se mit à pleurer. Le Grand Chaperon Rouge lui saisit les épaules et l'attira contre lui pour la consoler. Il y avait tant de tendresse dans ce geste que les enfants et la sorcière cessèrent immédiatement d'avoir peur de la créature et se mirent à l'aimer de tout leur cœur.

Ce fut Léanne qui finit par interrompre cet instant presque magique en venant poser sa petite main sur le bras de la fée Cerise.

— Mademoiselle Cerise? dit-elle timidement. Ze... Je crois que nous avons quelque chose à vous montrer.

La jeune fée renifla et se dirigea, avec Léanne et ses amis, vers ce qui semblait un gros paquet de chiffons qui traînait dans l'herbe. Tous restèrent un peu à l'écart tandis qu'elle s'approchait pour voir ce qui se trouvait dans le sac à dos de Léanne. Elle s'immobilisa, saisie, puis porta la main à sa bouche. Ils la regardèrent se pencher et se relever, puis se retourner vers eux, tenant tendrement dans ses bras le crapaud endormi, comme on tient un tout petit bébé. De nouveau, les larmes emplissaient ses yeux. Mais cette fois, c'étaient des larmes de joie.

— Vous... balbutia-t-elle. Vous avez trouvé mon cousin! C'est lui, je le reconnais! Mais où...

À leur tour, Léanne, Mia et Léo contèrent leurs aventures. Et à leur tour, Cerise et le Grand Chaperon Rouge arrondirent les yeux au récit de ce périple à travers la Forêt Profonde. À la fin, Grosspafine conclut sur un ton ravi :

— Bon, alors, maintenant, vous allez pouvoir redonner à votre cousin sa forme de prince, fée Cerise ! Tout est bien qui finit bien !

Et la Vilaine Sorcière poussa un bon gros rot, suivi d'un « Excusez-moi ! » tonitruant pour bien marquer son contentement. Voyant que la jeune fée ne disait rien, elle demanda :

— Ben quoi ? Vous ne voulez pas qu'il redevienne un prince ? Il est trop tannant ? Je le savais ! Donnez-le-moi, ajouta-t-elle, intéressée, je saurai quoi faire de ce crapaud, moi !

— NON ! s'écria Cerise en serrant plus fort contre elle son cousin, car elle savait bien ce que les Vilaines Sorcières fabriquaient avec les crapauds. Non ! Je veux vraiment qu'il retrouve sa vraie forme. C'est juste que…

— Tu n'es pas capable ! la coupa Mia-la-moqueuse.

— Chut ! Mia ! disputa Léanne. Tu vois bien que ça la rend malheureuse.

— C'est vrai, je ne suis pas capable ! pleura Cerise. Je… Je n'ai pas encore appris à défaire les sorts ! J'ai perdu patience et j'ai agi sous l'impulsion de la colère, et maintenant Malavenant est un crapaud pour toujours ! Bouhouhouououou !

Le Grand Chaperon Rouge, à grandes enjambées, accourut et reprit la jeune fée dans ses longs bras, en jetant autour de lui des regards courroucés. Malheur à qui oserait faire du mal à son amie, disaient ces yeux. Léo observait toute la scène en s'efforçant de traduire mentalement le tout avec des mots, au cas où il aurait besoin de raconter quelque chose de semblable quand il serait un grand écrivain. Il nota qu'il lui faudrait aussi s'informer auprès de la créature pour apprendre d'où lui venait ce curieux accent. C'est ce moment que choisit le Sage à face de Singe pour intervenir.

— Calmons-nous, dit-il, un fin sourire étirant son drôle de visage. Nous allons nous occuper de cette métamorphose. Mais auparavant, il nous faut réveiller ce petit dormeur !

— Impossible, objecta Grosspafine. Nous n'avons pas de princesse véritable.

— Ah ? fit le petit bonhomme aux cheveux émeraude d'un air malicieux. Vous en êtes certaine, ma chère ? Réfléchissez bien, voulez-vous ?

— …

La Vilaine Sorcière n'avait pas le choix. Elle obéit au Sage et se mit à réfléchir de toutes ses forces. Une princesse, une princesse, ça ne courait pas les rues, les princesses, encore moins les sommets de Montagne Mauve! Princesse… Princesse… Le mot tournait dans sa tête… Princesse… Princesse… Cela ravivait un vieux souvenir. Elle se revoyait toute petite, avec son papa Pouftupû qui la faisait sauter sur ses genoux… Il chantait: «Princesse, princesse, c'est la princesse des Vilaines Sorcières que son papa aimait plus que toutes les autres Vilaines Sorcières du monde entier!» Et il la câlinait, et il lui bécotait les joues, et il lui faisait des pets dans le cou… Comme elle était heureuse avec son papa et sa maman, et son petit frère Ptitrognon… Elle était heureuse comme… comme une princesse! Tout émue, elle offrit au Sage à face de Singe un large sourire. Elle avait compris! Elle s'approcha de la fée Cerise et, penchant sa grosse face ridée sur le batracien, elle posa un léger bisou sur le front plein de verrues. Aussitôt, une toute petite, petite voix se fit entendre.

— JE NE VEUX PAS ALLER DANS CE SAC ! JE VEUX RESTER DANS LES MAINS DE LA PETITE FILLE QUI A DES LUNETTES **ROSES** ! BON !

— Malavenant ? souffla Cerise. Malavenant, c'est moi, ta cousine. Pardonne-moi, Malavenant. Je ne voulais pas te faire de mal...

Les enfants écarquillaient les yeux. Grosspafine ? Une princesse ? Devant leur confusion, le Sage à face de Singe se mit à rire.

— Oui, les enfants. Une vraie princesse. La princesse du cœur de son papa. Vous savez, on est ce que l'on est parce qu'on est convaincu de l'être. Si vous êtes convaincus d'être des princes ou des princesses, vous l'êtes ! Chacun à sa façon, évidemment !

Bien sûr. Il avait raison, le vieux petit bonhomme. Mais ce n'était pas tout. Il fallait redonner à Malavenant sa forme humaine, maintenant. Cela aussi, le Sage le devina. Il entraîna tout le monde vers la marmite d'où se dégageait une entêtante odeur de verdure. Sans mot dire, il tendit la main vers Cerise, qui tira de sa poche le fruit de l'Arbre à tout, insignifiant, brun et ratatiné. Un vieux fruit rabougri que n'importe lequel d'entre nous aurait envoyé à la poubelle. Le Sage à face de Singe montra à tout le monde ce qu'il tenait entre ses doigts noueux, le jeta dans la marmite et recommença l'incantation qu'il avait prononcée plus tôt :

— Que la pluie enchante
Toutes les jolies plantes ;
Que le feu ranime
L'étincelle infime ;
Que le bel espoir
Sorte enfin du noir ;
Prince Malavenant
Deviendra charmant !

Aussitôt, la vapeur qui sortait de la marmite se mit à épaissir. Peu à peu, tout le monde fut enveloppé dans une épaisse brume verte qui embaumait les herbes des champs. On ne distinguait plus le sol, ni le ciel, c'était comme si tout à coup on s'était mis à flotter dans l'air. Le temps était suspendu. On était inquiet, mais, en même temps, on se sentait étrangement paisible. On avait la conviction que ce qui était en train de se passer appartenait au monde du Bien, qu'il n'y avait pas de place pour le Mal ici. Et l'on avait raison.

Enfin, le brouillard émeraude (oui, oui, émeraude, comme les cheveux du Sage à face de Singe !) commença à se dissiper. Puis on entendit un bruit mat suivi d'un grand : « Ouille ! ! ! »

Lorsque l'air ambiant eut retrouvé sa limpidité habituelle, tout le monde regardait d'où était venu ce « Ouille ». Celle qui avait proféré ce son, c'était la fée Cerise. Et celui qui l'avait provoqué, c'était un enfant de huit ou neuf ans, avec des cheveux roux et des yeux dorés, qui se trouvait assis sur les pieds de la jeune fée. C'était un beau garçon, vraiment, songeait Léanne, mais comme il avait l'air... malavenant ! Il fronçait rageusement les sourcils, serrait les poings, et sa bouche semblait refuser toute tentative de sourire.

Cette attitude négative n'empêcha pourtant pas Cerise de lui tendre la main pour l'aider à se relever, puisque c'était en tombant de ses bras à elle qu'il lui avait écrasé les pieds (d'où le « Ouille » en question !). L'œil maussade, il se laissa faire. Puis la fée fourragea de nouveau dans sa poche et en tira un parchemin plié en quatre qu'elle voulut lui donner. Mais il la repoussa avec dureté.

— Laisse-moi tranquille ! ragea le garçon. Je ne veux rien de toi ! Tu es une pas fine !

— Prends, insista Cerise, c'est une lettre. C'était à ton père.

Interloqué, Malavenant demeura un instant sans bouger, puis il saisit la lettre écrite à son père neuf ans plus tôt par le Sage à face de Singe et la lut. Ensuite, il leva sur sa cousine un regard aigu. Il attendait des explications. Et elle les lui donna. Le Grand Chaperon Rouge apporta son renfort à la fée, ajoutant de temps à autre un détail ou deux. À la fin du récit, Malavenant pleurait à chaudes larmes, à genoux par terre avec Cerise, qui le tenait très fort contre elle. Tout le monde, même Grosspafine, était très ému devant cette scène. Tout le monde, sauf le Sage à face de Singe, qui avait tout prévu, évidemment. Mia glissa sa petite main dans celle du bonhomme, et lui lança tout bas :

— Alors, monsieur le Singe, Malavenant, il va retrouver l'espoir ?

— Oui, ma belle coquinette, opina le Sage.

— Il ne sera plus Malavenant ?

— Non, il ne sera plus Malavenant. Ou…

— Peut-être que oui ?

— Cela dépendra de la suite ! conclut le maître de la Montagne Mauve.

Épilogue

Ainsi, tout se terminait pour le mieux. Mais, était-ce vraiment terminé?

Que se passa-t-il une fois que tout le monde fut revenu chez soi? Et d'abord, comment la reine Tousswitt accueillit-elle son fils et sa nièce après cette équipée?

Eh bien! pour commencer, il faut dire que la pauvre reine Tousswitt s'était littéralement rongée d'inquiétude durant cette absence. Elle avait envoyé des émissaires partout dans son royaume, et même au-delà, et elle avait suspendu toutes ses activités. Plus de comités, plus de massages d'oreilles, plus de réunions, plus rien ne tenait devant l'angoisse d'avoir perdu son enfant. Quoi ? Après son cher mari, voilà que son fils disparaissait à son tour ? Elle pensait qu'elle ne pourrait jamais se remettre d'une telle épreuve. Lorsque Cerise et Malavenant revinrent au château d'Aquautée, elle était tellement heureuse de les retrouver qu'elle prit encore trois jours de congé pour profiter de la présence de ces êtres chers. Et, voyant que le monde continuait de tourner bien qu'elle ne passât plus tout son temps à travailler, elle décida de s'accorder plus souvent des congés. Elle voulait rattraper le temps perdu et vivre le plus de moments possible avec son petit garçon. Bien sûr, il fallait qu'elle travaille aussi, elle ne pouvait pas être toujours à la maison, mais elle s'efforçait, lorsqu'elle s'y trouvait, d'oublier les tracas professionnels. De cette façon, quand maman était là, elle était là pour de vrai !

Cerise termina sa deuxième année de cours de Fée-Marraine avertie. Elle obtint même une assez bonne note à l'exercice de métamorphose. Les autres élèves furent bien impressionnés de la manière dont elle imitait le gracieux bouleau blanc. La jeune fée fut admise à l'Université des Bonnes Fées et devint à son tour professeure.

Napoléon la tortue et le Grand Chaperon Rouge avaient convenu de devenir colocataires. Ils s'entendaient bien tous les deux, et s'accommodaient tout à fait du grand silence de la Forêt Profonde. Une fois par année, Malavenant et la reine Touswitt venaient rendre visite à la tombe du chevalier Roger de Vertefeuille et passaient quelques jours avec eux. Maintenant que la mère et le fils savaient ce qui était véritablement arrivé, ils avaient fait la paix avec ce chagrin-là, ils avaient appris à vivre avec lui. L'amour avait fini par combler le trou laissé par la disparition de l'être cher.

Malavenant, lui, certain à présent que son père ne l'avait pas abandonné, n'éprouvait plus cette colère qui lui donnait si souvent envie de faire des mauvais coups. Même que, quelques années plus tard, son malheureux prénom fut finalement remplacé par… Charmant !

Du côté de Passilouin, la belle complicité de Grosspafine et des enfants se poursuivait. Chaque semaine, ils buvaient ensemble leur traditionnel jus de chenille en se remémorant leurs aventures. Lorsque Benjamin et Belle d'Amour se trouvaient en semaine de relâche, ils venaient les rejoindre et, alors, ils faisaient la fête toute la soirée. Il arriva, quelquefois, que Malavenant-Charmant vînt les rejoindre pour la fin de semaine. Et j'ai entendu dire que Léanne et lui, en grandissant, devinrent même plus que de simples amis…

Mia continua de traquer le Doré Perdu, ne le pêcha jamais, mais ne perdit nullement l'espoir de le trouver un jour. Quant à Léo, il écrivit un roman d'aventures où l'on trouvait le mot « anoure », ainsi qu'une gentille créature monstrueuse avec un drôle d'accent venu de l'Est.

Et le Sage à face de Singe, lui ? Eh bien ! il demeura sur la Montagne Mauve et continua de prodiguer les lumières de sa philosophie à tous ceux qui venaient lui demander conseil. Et peut-être qu'il vit encore là, et que son sourire malicieux vous accueillerait, si vous lui rendiez visite.

Ou… peut-être pas !

Remerciements

À ceux et celles qui, par leur présence aimante, m'ont permis de croire à ce livre et de l'écrire jusqu'au bout. Rémy et Benjamin, mes amours, sans vous deux je ne serais pas là.

Aux enfants de ma vie qui m'inspirent sans cesse. Chacun d'eux incarne à mes yeux l'espoir que tout est toujours possible.

À Lucie Tremblay qui m'a fourni le lieu paisible dont j'avais besoin pour terminer mon livre.

À mes amis qui me prennent comme ça.

À ma maman, enfin. Encore, toujours à elle, qui m'a tant raconté d'histoires quand j'étais petite, que je n'ai pas pu faire autrement que d'en raconter à mon tour une fois devenue grande. Où que tu sois, merci.

Table des matières

Les Affreux
1. Le Congrès des laids
2. Fierritos et la porte de l'air
Lucía Flores

Alias agent 008
Alexandre Carrière

La Bande de la 7e
1. La Fenêtre maléfique
2. M comme momie
3. La Fosse aux chiffres
Sylvie Brien

Le Calepin noir
Joanne Boivin

Capitaine Popaul
Alain Raimbault

Le Chat du père Noé
Daniel Mativat

Clovis et Mordicus
1. Clovis détective
2. Le Trésor de Mordicus
3. Clovis et le Grand Malentendu
4. L'Espionne à moustaches
Mireille Villeneuve

Crinière au vent
1. Si j'avais un poney…
2. Un camp mystère…
Katia Canciani

Des histoires à n'en plus finir!
Isabelle Larouche

Destination Yucatan
Alexandre Carrière

Drôle de vampire
Marie-Andrée Boucher Mativat

Du sang sur le lac
Laurent Chabin

L'École de l'Au-delà
1. L'Entre-deux
2. Le Réveil
Lucía Flores

L'Escouade verte
Alain M. Bergeron

La Funambule
Maryse Rouy

Guapo
Claudie Stanké

L'Idole masquée
Laurent Chabin

Loup détective
1. Le Fou du rouge
2. L'Affaire von Bretzel
3. Pagaille à Couzudor
Lili Chartrand

Les Lunettes de Clara
Sonia K. Lafamme

Marika et ses amis
1. Le Mystère du moulin
2. Opération Juliette
3. L'Énigme du sommet Noir
4. Mission Cachalot
Lucia Cavezzali

Les Mésaventures de Grosspafine
1. La Confiture de rêves
2. Le Prince Malavenant
Marie Christine Bernard

Mon royaume pour un biscuit
Francine Allard

Motus et les bouches cousues
Marie-Andrée Boucher Mativat

Pas de pitié pour la morue!
Pierre Roy

Pas de pitié pour les croque-morts!
Pierre Roy

La Planète des chats
Laurent Chabin

La porte, les mouches!
Mireille Villeneuve

Le Sortilège de la vieille forêt
Ann Lamontagne

SOS, c'est l'hiver!
Geneviève Mativat

Une course folle
Cécile Gagnon

Une tonne de patates!
Pierre Roy

Ce livre a été imprimé en septembre 2008
sur les presses de Transcontinental-Gagné,
Louiseville, Québec.